# Livro do Aluno

## EDIÇÃO REVISTA E ACTUALIZADA

**Autora**
**Ana Tavares**

**Direcção**
**Renato Borges de Sousa**

**Lidel - edições técnicas, lda**

**LISBOA - PORTO - COIMBRA**
e-mail: lidel@lidel.pt
http:/www.lidel.pt (Lidel On-line)
(*site* seguro certificado pela Thawte)

# COMPONENTES DO MÉTODO

## NÍVEL 1
Livro do Aluno
Caderno de Exercícios
Livro do Professor
CD-Áudio

## NÍVEL 2
Livro do Aluno
Caderno de Exercícios
Livro do Professor
CD-Áudio

EDIÇÃO E DISTRIBUIÇÃO

Lidel - edições técnicas, lda

ESCRITÓRIOS: Rua D. Estefânia, 183 r/c Dto. - 1049-057 Lisboa - Telefs: Ens. Línguas/Exportação: 21 351 14 42 - depinternational@lidel.pt;
Marketing: 21 351 14 44 - marketing@lidel.pt; Formação: 21 351 14 45 - formacao@lidel.pt; Revenda: 21 351 14 43- revenda@lidel.pt;
Linha de Autores: 21 351 14 49 - edicoesple@lidel.pt; Mailing/Internet: 21 351 14 45 - mailnet@lidel.pt;
Tesouraria: 21 351 14 47 - tesouraria@lidel.pt; Periódicos: 21 351 14 41 - periodicos@lidel.pt;
Dep. Venda Directa: 21 351 14 48 - venda.directa@lidel.pt
Fax: 21 357 78 27 - 21 352 26 84

LIVRARIAS: LISBOA: Avenida Praia da Vitória, 14 - 1000-247 Lisboa - Telef. 21 354 14 18 - Fax 21 317 32 59 - livrarialx@lidel.pt
PORTO: Rua Damião de Góis, 452 - 4050-224 Porto - Telef. 22 557 35 10 - Fax 22 550 11 19 - delporto@lidel.pt
COIMBRA: Avenida Emídio Navarro, 11-2º - 3000-150 Coimbra - Telef. 239 82 24 86 - Fax 239 82 72 21 - delcoimbra@lidel.pt

Copyright © Janeiro 2003
Edição revista Abril 2004
Lidel - Edições Técnicas Limitada

Capa e Paginação: Imagem Final, Lda
Ilustrações: Alexandra Guilhoto
Fotografia: Sílvia Pereira e Filipe Ribeiro
Impressão e acabamento: Tipografia Peres, S.A.
Depósito legal n.º 210662/04

ISBN 972-757-221-9

# PORTUGUÊS XXI

*Português XXI – Iniciação* destina-se a alunos principiantes ou falsos principiantes. Este primeiro livro cobre as estruturas gramaticais e as áreas lexicais básicas, preparando gradualmente o aluno para se expressar de forma eficaz no presente, no passado e no futuro.

A existência de um Caderno de Exercícios permite que o aluno trabalhe essencialmente as áreas gramaticais e lexicais que surgem nas aulas e poderá ser utilizado em casa, como um trabalho complementar. Assim, logo desde o início, a aprendizagem na aula, tendo o apoio do CD-Áudio, privilegia a oralidade.

O *Português XXI* é um material que tem uma preocupação especial pelo desenvolvimento da compreensão e da expressão oral do aluno em situações reais de fala, pelo que, no final deste nível, o aluno sentir-se-á apto para: dar e pedir informações de carácter pessoal, geral e profissional; fazer perguntas, pedidos e marcações; pedir e dar instruções; fazer descrições; relatar factos passados e da vida quotidiana; fazer planos; dar a sua opinião, discordar ou manifestar acordo; expressar-se nos vários estabelecimentos comerciais.

No final de cada unidade, existe sempre um exercício de carácter fonético para que o aluno tenha a oportunidade de ouvir e praticar os sons em que habitualmente sente mais dificuldade.

# ÍNDICE GERAL

# ÍNDICE GERAL

# Índice Geral

# ÍNDICE GERAL

# Unidade
# 1

# A. Apresentação

**1-** Leia e ouça o diálogo.

| | |
|---|---|
| **Pablo:** | Olá! Como se chama? |
| **Ana:** | Chamo-me Ana. E você? |
| **Pablo:** | Sou o Pablo. |
| **Ana:** | De onde é? |
| **Pablo:** | Sou de Madrid. Sou espanhol. Você também é espanhola? |
| **Ana:** | Não, sou portuguesa. Sou de Lisboa. |

**2-** Complete com *é* ou *não é*.

O Pablo _____ espanhol.

A Ana _____ de Madrid.

O Pablo _____ de Lisboa.

A Ana _____ portuguesa.

**3-** Ouça e complete o diálogo.

A - Boa _____! _____ o João. Como _____ chama?

B - _____-me Pierre.

A - De _____ é você, Pierre?

B - _____ de Paris. E você?

A - Eu _____ _____ Lisboa.

**4**- Leia e ouça os diálogos.

Ler; ouvir; relacionar

Relacione as fotografias com os diálogos.

**Fotografia n.º** _____

**A -** Olá! Como estás?

**B -** Bem, obrigado. E tu?

**A -** Estou bem, obrigada. Até amanhã.

**B -** Até amanhã.

**Fotografia n.º** _____

**A -** Quem é ela?

**B -** É a minha professora de português.

**A -** Como é que ela se chama?

**B -** Chama-se Teresa Martins.

**Fotografia n.º** _____

**A -** Boa tarde, Hans. Este é o meu amigo Pedro.

**B -** Muito prazer. Sou o Hans.

**C -** És holandês?

**B -** Não, sou alemão, mas moro em Lisboa. Estudo português numa escola de línguas.

**5**- Complete como no exemplo.

Países; nacionalidades; línguas

> *O* Hans é *da* Alemanha. *Então, ele é alemão e fala alemão.*

_____ Pedro é _____ Portugal. ***Então,***_____

_____ Pablo é _____ Espanha. ***Então,***_____

_____ Nadine é _____ França. ***Então,***_____*francesa*_____

_____ Roberto é _____ Brasil. ***Então,***_____*brasileiro*_____

_____ Julie é _____ Estados Unidos. ***Então,***_____

**6-** 1. **Ouça os dois diálogos.**

2. **Agora, leia as duas bandas desenhadas.**

Ouvir e ler

A-

B-

**7-** **Seleccione a resposta adequada para cada pergunta.**

Relacionar

### 1. Como está?

   a. Bem, obrigado.
   b. Muito prazer.
   c. Até amanhã.

### 4. Como se chama?

   a. Muito prazer.
   b. Sou o Miguel.
   c. Estou bem, obrigada.

### 2. Este é o Miguel.

   a. Muito prazer.
   b. Adeus.
   c. Até amanhã.

### 5. Olá!

   a. Viva, como está?
   b. Até amanhã.
   c. Muito prazer.

### 3. Quem é ele?

   a. É português.
   b. É o director.
   c. É simpático.

### 6. Bom dia!

   a. Adeus.
   b. Como está?
   c. Bem, obrigado.

Como se chama?
Como é que se chama? } (eu) Chamo-me…
Como é que você se chama? (eu) Sou…
Como é que ela se chama? ⟶ (ela) Chama-se…
Como é que ele se chama? ⟶ (ele) Chama-se...
Quem é ela? ⟶ É…
Quem é ele? ⟶ É…
De onde é / és? ⟶ Sou de..

| | | |
|---|---|---|
| Olá! | Como está? | Muito prazer! |
| Bom dia! | Como estás? | Muito gosto! |
| Boa tarde! | Bem, obrigado(a). | |

## 8- Leia o texto. Depois, ouça as perguntas e responda.

Ler e ouvir

*Esta é a minha amiga Marta. Ela é portuguesa, de Coimbra. A Marta é secretária e mora em Lisboa.*

1._____ Marta.

2._____ secretária.

3._____ Lisboa.

4._____ Coimbra.

5._____ portuguesa.

## 9- Leia os textos.

Ler

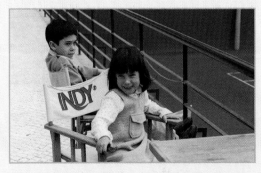

*Estes são o André e a Mafalda. São os filhos do Dr. Soares. Moram em Sintra com os pais e falam português e italiano.*

*Este é o Dr. António Soares. Ele é advogado, mas não é português. É brasileiro e mora em Sintra. Ele é de S. Paulo, no Brasil. É casado, mas a mulher não é brasileira. Ela é italiana, mas fala português muito bem.*

**10- Responda às perguntas.**

1 - Onde moram os filhos do Dr. Soares?

_____

2 -  Como é que eles se chamam?

_____

3.- Qual é a profissão do Dr. Soares?

_____

4.- Qual é a nacionalidade do Dr. Soares?

_____

5 - A mulher do Dr. Soares também é brasileira?

_____

| | |
|---|---|
| Esta é… | É casado. |
| Este é… | Mora em… |
| Estes são… | Moram em… |
| | Fala português e italiano. |
| | Falam português e italiano. |

**11-** **Os números**

**1. Ouça com atenção e repita.**

### OS NÚMEROS

0-zero, 1-um/uma, 2-dois/duas, 3-três, 4-quatro,

5-cinco, 6-seis, 7-sete, 8-oito, 9-nove, 10-dez, 11-onze,

12-doze, 13-treze, 14-catorze, 15-quinze, 16-dezasseis,

17-dezassete, 18-dezoito, 19-dezanove, 20-vinte

## 2. Complete como no exemplo.

*Exemplo:*

> zero - **0**

catorze _____ dez _____ dezasseis_____ dezassete _____

oito _____ quatro _____ sete _____ nove _____

seis _____ dezoito _____ onze _____ três _____

dezanove _____ dois/duas _____ cinco _____

doze _____ quinze _____ treze _____

## 3. Escreva os números que vai ouvir.

_____

_____

_____

# B. Informações de carácter pessoal

## 1- Leia os textos e responda às perguntas.

**A**

*- Olá! Sou a Brigitte. Sou alemã e sou estudante de português na Universidade. Sou de Berlim, na Alemanha, mas agora moro em Lisboa, na casa de uma família portuguesa, na Rua do Sol, nº 5. Não sou casada; sou solteira. Tenho muitos amigos portugueses.*

1. Como é que ela se chama?

_____

_____

2. Qual é a nacionalidade da Brigitte?

_____

_____

3. Ela é casada?

_____

_____

4. A Brigitte tem amigos portugueses?

_____

_____

**B** 1. De onde é a Cesária?

_____

_____

2. Ela mora em Angola?

_____

_____

3. Qual é a profissão da Cesária?

_____

_____

4. Quantos anos tem ela?

_____

_____

*- Olá! Chamo-me Cesária e sou de Angola. Agora moro em Lisboa com a minha família. Sou estudante de Economia e tenho 20 anos.*

| | |
|---|---|
| na Alemanha | sou de Angola |
| moro em | sou solteira/ casada |
| moro na rua... | tenho 20 anos |

## 2- Ouça os textos com atenção e complete.

**A**

- Olá! _____ a Brigitte. Sou _____ e _____ estudante de _____ na Universidade. _____ _____ Berlim, na Alemanha, mas agora moro _____ Lisboa, na casa _____ uma família portuguesa na Rua do Sol, nº _____. Não sou casada; sou _____. _____ muitos amigos portugueses.

**B**

- Olá! Chamo _____ Cesária e _____ de Angola.
Agora _____ em Lisboa _____ a minha família. Sou estudante de _____ e tenho _____ anos.

## 3- Complete os seguintes textos.

1.

**A** Olá! _____ Miguel. _____ português e _____ em Sintra. Sou médico ____ Lisboa e gosto de jogar ténis. A minha mulher _____ italiana, mas _____ português _____ bem.

**B** Bom dia! _____ a nova professora de português e _____ Rita. Eu e a minha família _____ do Porto. Os meus alunos _____ muito simpáticos e são todos _____.

**2.** Agora ouça os textos e confirme o que escreveu. | Compreensão oral |

**4-** Siga o exemplo e responda às perguntas, só com o verbo. | Verbos: **ser, ter, falar, morar** |

> - Você **é** americano?
> - **Sou.**

1. Você é estudante? _____

2. Ela mora em Lisboa? _____

3. Eles são professores? _____

4. Você é casado? _____

5. Você fala português? _____

6. Você tem amigos portugueses? _____

7. Ele é o Dr. Martins? _____

8. Elas são dos Estados Unidos? _____

9. És francês? _____

10. Você é do Brasil? _____

**5-** Complete as frases com as seguintes profissões. | Vocabulário: profissões |

pintor / polícia / motorista / secretária / jardineiro /
médica / cozinheiro / engenheiro / padeiro /
enfermeiras / carpinteiro / bombeiros / agricultor /
estudante / taxista / empregado de mesa

Ele é _____

Eles são _____

Ela ó _____

Ele é _____

Ele é _____

Ele é _____

Elas são_____

Ela é _____

**6- Assinale a frase que ouviu.**

Compreensão oral

1.  a) Ela é de Portugal.
    b) Ele é de Portugal.

2.  a) Como se chama?
    b) Como te chamas?

3.  a) Moro em Lisboa.
    b) Mora em Lisboa.

4.  a) São da Alemanha.
    b) Sou da Alemanha.

5.  a) Como está?
    b) Como estás?

6.  a) Você fala português?
    b) Vocês falam português?

**7- Seleccione a frase correcta.**    Seleccionar

1.  a) Sou de Portugal.
    b) Sou do Portugal.

2.  a) Sou bem, obrigado.
    b) Estou bem, obrigado.

3.  a) Berlim é na Alemanha.
    b) Berlim é em Alemanha.

4.  a) A Marta é recepcionista.
    b) A Marta és recepcionista.

5.  a) Eu estou italiana.
    b) Eu sou italiana.

6.  a) Ele chamo-me Matias.
    b) Ele chama-se Matias.

7.  a) Eu mora no Porto.
    b) Eu moro no Porto.

8.  a) Este é o Manuel.
    b) Este está o Manuel.

# 8- Simulação    Falar

**Apresentação:** nome, nacionalidade, profissão, morada, línguas que fala, estado civil

**a)** Apresente-se aos colegas.

**b)** Faça perguntas a um colega. Estabeleça um diálogo.

**c)** Apresente o colega aos outros.

**d)** Selecione um colega e escreva num papel o seu nome, nacionalidade, estado civil e a cidade onde mora. Responda às perguntas dos seus colegas com **Sim** ou **Não**.

*Exemplos:*

| | |
|---|---|
| -Ele é inglês? | -Não, não é. |
| -Ele é advogado? | -É. |

**Expressões**

| | |
|---|---|
| *Olá!* | *Este é...* |
| *Bom dia!* | *Esta é...* |
| *Boa tarde!* | *Estes são...* |
| *Boa noite!* | *Muito prazer!* |
| | |
| *Tudo bem?* | *Até amanhã!* |
| *Como está?* | *Até logo!* |
| *Como estás?* | *Boa viagem!* |
| *Bem, obrigado/a.* | *Adeus!* |

# C. Fonética

## 1- O alfabeto

Ouvir e repetir

**1. Ouça e repita.**

*'gay' 'egar' e filolta*

| | | | | | | | | | |
|---|---|---|---|---|---|---|---|---|---|
| a | b | c | d | e | f | g | h | i | j |
| k | l | m | n | o | p | q | r | s | |
| t | u | v | w | x | y | z | | | |

*kapa* ... *k aira esa* ... *sheesh ypsylon*

**2. Ouça e repita as palavras.**

a - África
b - bem
c - Canadá, Coimbra, cinco
d - dois
e - és
f - França
g - gosto
h - Holanda
i - Itália
j - jardineiro
l - Lisboa
m - moro

n - nacionalidade
o - mora
p - polícia
q - quinze, quatro
r - rua
s - seis
t - tem
u - universidade
v - vinte
x - Xangai
z - doze

## 2- Ditongos e outros sons

Ouvir e repetir

**1. Ouça e repita.**

| | | | | | | |
|---|---|---|---|---|---|---|
| ai | - | ei | - | oi | - | ui - |
| au | - | ao | - | eu | - | iu - |
| ou | - | nh | - | lh | - | ch |

**2.**

ai-pais
ei-seis
oi-dois
ui-Rui
au-mau
ao-ao

eu-meu
iu-viu
ou-sou
nh-Alemanha
lh-filho
ch-chamo

## 3- Soletre as palavras e leia-as.

Soletrar palavras

Alemanha
Portugal
casado
chamas
tenho
falam
também

tem
têm
prazer
está
são
estão
este

# APÊNDICE GRAMATICAL

**1** ## Afirmativa / negativa / interrogativa

Eu moro em Lisboa.
Ela não mora em Londres.
Onde é que você mora?
Onde é que ele mora?
Onde é que ela mora?
És português?

**2** ## Nacionalidades

- Qual é a nacionalidade da Brigitte?
- É alemã.

**3** ## Profissões

- Qual é a profissão da Cesária?
- É estudante.

**4** ## Formas de apresentação

- (Eu) sou...
- (Eu) chamo-me...
- (Ele/ela/você) chama-se...
- Este é o meu professor.
- Esta é a Teresa.
- Muito prazer. Como está?
- Bem, obrigado.

**5** ## Números

| | | | |
|---|---|---|---|
| 1 - um / uma | 11 - onze |
| 2 - dois / duas | 12 - doze |
| 3 - três | 13 - treze |
| 4 - quatro | 14 - catorze |
| 5 - cinco | 15 - quinze |
| 6 - seis | 16 - dezasseis |
| 7 - sete | 17 - dezassete |
| 8 - oito | 18 - dezoito |
| 9 - nove | 19 - dezanove |
| 10 - dez | 20 - vinte |

**6** Verbos

| SER | |
|---|---|
| eu | *sou* |
| tu | *és* |
| você/ela/ele | *é* |
| nós | *somos* |
| vocês/elas/eles | *são* |

| TER | |
|---|---|
| eu | *tenho* |
| tu | *tens* |
| você/ela/ele | *tem* |
| nós | *temos* |
| vocês/elas/eles | *têm* |

*Exemplos:*

Eu *sou* brasileiro.

Ele *é* *da* Noruega.

Lisboa *é* *em* Portugal.

Ela *é* casada.

*Exemplos:*

*Tenho* 20 anos.

*Temos* muitos amigos.

**7** Artigos definidos

| | Artigos definidos | |
|---|---|---|
| | masculino | feminino |
| **Singular** | o | a |
| **Plural** | os | as |

*Exemplos:*

*O* professor.
*Os* professores.

*A* professora.
*As* professoras.

# APÊNDICE GRAMATICAL

## 8 Países e Nacionalidades

| *Ela é de* | *Ele é* | *Ela é* | *Eles são* | *Elas são* |
|---|---|---|---|---|
| Portugal | português | portuguesa | portugueses | portuguesas |
| (a) Espanha | espanhol | espanhola | espanhóis | espanholas |
| (a) França | francês | francesa | franceses | francesas |
| (a) Itália | italiano | italiana | italianos | italianas |
| (a) Inglaterra | inglês | inglesa | ingleses | inglesas |
| a Alemanha | alemão | alemã | alemães | alemãs |
| a Bélgica | belga | belga | belgas | belgas |
| a Suécia | sueco | sueca | suecos | suecas |
| a Holanda | holandês | holandesa | holandeses | holandesas |
| o Brasil | brasileiro | brasileira | brasileiros | brasileiras |
| os Estados Unidos da América | americano | americana | americanos | americanas |
| o Japão | japonês | japonesa | japoneses | japonesas |
| Angola | angolano | angolana | angolanos | angolanas |
| Moçambique | moçambicano | moçambicana | moçambicanos | moçambicanas |

# Unidade 2

# A. Localizar

1- **Procure na imagem e identifique com os números.**

| 1 | uma rua | | 9 | um supermercado |
|---|---------|---|---|-----------------|
| 2 | um prédio | | 10 | os correios |
| 3 | uma farmácia | | 11 | um cinema |
| 4 | um jardim | | 12 | um carro |
| 5 | uma pastelaria | | 13 | uma paragem de autocarros |
| 6 | uma escola | | 14 | uma passadeira |
| 7 | um banco | | 15 | uma avenida |
| 8 | um hotel | | | |

**2-** Junte os elementos das duas colunas e siga
o exemplo.

Verbos: **haver**; vocabulário

O que **há** no jardim?
- **No** jardim **há** árvores.

- nos correios
- na escola
- na pastelaria
- **na farmácia**
- no supermercado
- na rua
- no cinema
- no banco

- medicamentos
- leite
- filmes
- cheques
- selos
- bolos
- alunos
- carros

1- O que há na farmácia?
*Na farmácia há*
_____
2- _____ ?
_____
3- _____ ?
_____
4- _____ ?
_____
5- _____ ?
_____
6- _____ ?
_____
7- _____ ?
_____
8- _____ ?
_____

**3-** Ouça os diálogos.

Compreensão oral

**A**

**A** - Desculpe. Onde é que fica o Hotel Lisboa?

**B** - O Hotel Lisboa é ali, ao lado da pastelaria.

**A** - Obrigado.

**B** - De nada.

**B**

**A** - Desculpe. Podia dizer-me onde há um supermercado?

**B** - Há um supermercado ali em frente do jardim.

**A** - Muito obrigada.

**B** - De nada.

**4-** Olhe para o desenho da cidade
e faça frases como no exemplo.

- Onde é que fica o hotel?
- O hotel fica **ao lado da** pastelaria.

*em frente de*
*ao lado de*
*entre*
*atrás de*
*debaixo do*
*em cima de*
*dentro de*

**5-** Relacione.

**1.**

| | | | |
|---|---|---|---|
| vinte e cinco | 54 | sessenta e seis | 100 |
| trinta | 42 | setenta e oito | 66 |
| trinta e três | 25 | oitenta e um | 81 |
| quarenta | 40 | noventa e nove | 99 |
| quarenta e dois | 30 | cem | 120 |
| cinquenta e quatro | 33 | cento e vinte | 78 |

**2.** Ouça e escreva os números.

_____
_____
_____
_____
_____
_____
_____
_____
_____

**6-**

> *O que é **isto**?*
> *O que é **isso**?*
> *O que é **aquilo**?*

**1.** Faça perguntas e responda como no exemplo com o vocabulário da sala de aula.

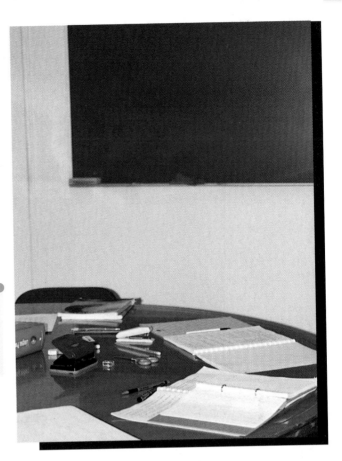

porta / janela / mesa / cadeira / estojo / pasta / lápis / borracha / livro / dicionário / quadro / parede / chão / planta ...

*Exemplo:*

> O que é **isto**?
> **Isso** é uma caneta.

**2.** Agora localize os objectos da sua sala de aula.

*Exemplo:*

> Onde **está** a borracha?
> Está **dentro do** estojo.

**7-** Olhe para este escritório. Há <u>três</u> erros na descrição
do escritório. Quais são?

- O candeeiro está *entre* a estante e o sofá.
- O sofá está *ao lado do* candeeiro.
- Este escritório tem uma secretária.
- *Em cima da* secretária há um computador.
- Não há livros neste escritório.
- A planta está *ao lado da* cadeira.
- Este escritório tem cadeiras.

- Não há um candeeiro no escritório.
- Há três quadros na parede *atrás do* sofá.
- O escritório tem uma carpete no chão.
- A estante tem muitos livros.
- Há um cesto de papéis *debaixo da* secretária.
- *Atrás da* cadeira há uma janela.

**8-** Faça frases sobre a sua sala.

*Exemplos:*

Nesta sala *há* uma janela.
Nesta sala não *há* uma televisão.
Ao lado da janela *há* uma planta.

**9-** Complete as frases com os verbos dados.

> Gramática: **Presente do Indicativo**: verbos – **ar**

trabalh**ar**     brinc**ar**     compr**ar**
fal**ar**     gost**ar** (de)     tom**ar**
jog**ar**     estud**ar**     toc**ar**

Eu _Jogo_ futebol no estádio todos os dias.

Tu _tocas_ piano.

Você _toma_ o pequeno-almoço no hotel.

Ele _gosta_ de apartamentos perto do mar.

Ela _trabalha_ em frente dos correios.

Nós _compras_ fruta no mercado.

Vocês _estudam_ matemática.

Eles _falam_ inglês e português.

Elas _brincam_ no jardim.

# B. Descrever

**1-** Utilize o dicionário e procure pares **antónimos**.

> Vocabulário: **adjectivos**

caro    fácil    sujo    barato    baixo    difícil    limpo    frio
grande    velho    pequeno    correcto    novo    errado    alto    quente

**antónimos**

*limpo ≠ sujo*

caro ≠ barato
Facil ≠ difícil
baixo ≠ alto

frio ≠ quente
grande = pequeno
velho = novo
correcto = errado

**2-** Leia as frases com atenção.

> Gramática: **ser e estar**

1. Eu **sou** de Berlim, mas agora **estou** em Lisboa.

2. A sala **é** grande e **está** limpa.

3. Este café **é** bom e **está** quente.

4. O apartamento **é** caro, mas **é** muito grande.

5. Hoje **está** frio, mas este casaco **é** quente.

**3-** Escreva uma frase para cada figura, utilizando um adjectivo do exercício anterior e os verbos *ser* ou *estar*.

Gramática: ser e estar

em português os adjectivos são <u>variáveis</u> e dependem do nome.

a. <u>A sala **está limpa.**</u>

*can change*

b. <u>A sala **está suja.**</u>

c. O teste ~~é~~ é fácil

*cannot change*

d. O teste ~~é~~ difícil

e. A casa ~~é~~ pequena

f. A casa ~~é~~ grande

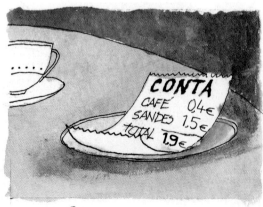

g. A conta ~~é~~ correcta
esta

h. A conta ~~é~~ errada
esta

i. Os sapatos ~~estes~~ são novo

j. As botas ~~estes~~ são velhes

l. O empregado ~~este~~ é alto

m. O empregado ~~este~~ é baixo

n. A água está frio

o. A água este quente

p. O vestido ~~está~~ é caro

q. O vestido ~~este~~ é barato

# 4- A casa

Vocabulário

## 1. Identifique as fotografias.

| | |
|---|---|
| F | cozinha |
| A | casa de banho |
| E | quarto |
| C | sala |
| B | escritório |
| D | varanda |

**2.** **Em que partes da casa encontramos...?**

**Escreva os nomes das partes da casa na caixa correcta.**

| Quarto |
| --- |
| cama ʰ |
| mesas de cabeceira |
| roupeiro |
| cómoda |

| Escritório |
| --- |
| secretária |
| cadeira |
| estante |
| telefone |

| Sala |
| --- |
| mesa |
| sofá |
| televisão |
| cadeiras |

| Cozinha |
| --- |
| frigorífico |
| fogão |
| lava-loiça |
| máquina de lavar roupa |

| Casa de banho |
| --- |
| lavatório |
| sanita |
| espelho |
| banheira |

## 5-

**1. Ouça o texto e depois leia.**

O João é de Faro, mas agora está em Lisboa. Ele é engenheiro e mora longe do trabalho. A casa do João fica no centro da cidade, perto do rio. A casa não é grande, mas é bonita: tem dois quartos (um é grande, mas o outro é pequeno), uma sala com duas janelas e uma varanda. A cozinha fica entre a sala e o quarto pequeno. Em frente da sala há uma casa de banho. O outro quarto fica ao lado da sala. No meio há um corredor muito largo.

A casa do João fica atrás da estação de metro e do mercado. A rua é estreita e muito tranquila.

**2. Responda oralmente.**

a.   Onde está o João?

b.   Qual é a profissão do João?

c.   Onde fica a casa dele?

d.   Como é a casa?

e.   Quantos quartos tem a casa do João?

**3.   Ouça o texto outra vez e complete os espaços em branco.**

O João é de Faro, mas agora está em Lisboa. Ele é engenheiro e mora longe do trabalho. A casa do João fica no centro da cidade, perto do rio. A casa não é grande, mas é bonita: tem dois _quartos_ (um é grande, mas o outro é pequeno), uma _sala_ com duas _janelas_ e uma _varanda_. A _cozinha_ fica entre a _sala_ e o _quarto_ pequeno. Em frente da _sala_ há uma _casa de banho_. O outro _quarto_ fica ao lado da sala. No meio há um _corredor_ muito largo.

A casa do João fica atrás da estação de metro e do mercado. A rua é estreita e muito tranquila.

**6-** O Pedro encontra uma amiga na rua. Complete o diálogo.

A - Olá, Mariana. Por aqui ?

B - Olá, Pedro! _Com_ estás?

A - Bem, _obrigado_. Agora moras aqui, nesta rua?

B - Sim. _Moro_ naquele prédio ali.

A - Qual ~~aquele ali~~ prédio ?

B - Aquele ali, _em_ ~~frente~~ lado da pastelaria.

A - Ah, sim. O teu apartamento _é_ grande?

B - Sim, _é_ muito grande: tem quatro _quartos_, _uma_ sala e uma varanda bonita. Também tenho uma _cozinha_ e duas _casa_ de banho.

**Agora ouça o diálogo e corrija-o.**

**7-** Leia o anúncio.

> **APARTAMENTO**
> **Bonito apartamento junto ao mar**
> Três quartos grandes, uma sala, uma cozinha e duas casas de banho.
> Todos os quartos têm janelas para a praia e a sala tem uma janela larga para o jardim.
> Fica perto do parque infantil e ao lado dos correios.
>
> Bom preço.
>
> 21 234 56 78

**a]** Quantos quartos tem o **seu** apartamento?

**b]** Descreva o **seu** apartamento / a **sua** casa.

**8-**

**1.** Antes de ler o texto, ouça a descrição do quarto da Sara.

O meu quarto fica ao lado do quarto dos meus pais e em frente da casa de banho. O meu quarto não é grande, mas eu gosto muito dele. A minha cama fica em frente da janela. À esquerda da cama há uma mesa de cabeceira e em cima dela há um candeeiro. No chão há um tapete com muitas cores. À direita da cama tenho o meu roupeiro e uma estante com muitos livros. Na parede em frente da cama fica a minha secretária. Em cima da secretária tenho muitos lápis, canetas e o meu computador. Ah! As paredes são brancas e tenho dois quadros muito giros pendurados. Adoro o meu quarto.

**2.** Este é o quarto da Sara.
Coloque os móveis no quarto dela.

**3.** Este é o seu quarto.

Agora descreva o seu quarto para o seu colega desenhar os móveis dentro dele.

Falar

## 9-No Hotel

 **1.** Ouça o diálogo.

Compreensão oral: reservar um quarto

A - Bom dia, faça o favor de dizer?

B - Bom dia, queria um quarto individual com casa de banho.

A - Quantas noites fica?

B - Fico duas noites.

A - Com certeza. Temos um bom quarto no 1º andar. Aqui tem a chave. Toma o pequeno-almoço?

B - Tomo, sim. Obrigado.

**2.** Faça um diálogo com um colega, tendo o anterior como exemplo.

Falar

**Expressões**

| | |
|---|---|
| Desculpe, onde fica…? <br> Obrigado/a. <br> De nada. | Faça o favor de dizer. <br> Queria… <br> Com certeza. |

# C. Fonética

**Vamos praticar os sons das letras b̲, v̲ e f̲.**

**1-** **Ouça e repita.**

| b | v | f |
|---|---|---|
| **b**om | **v**aranda | **f**ácil |
| Lis**b**oa | **v**inte | **f**alo |
| **B**élgica | no**v**a | pro**f**essor |
| **b**em | ad**v**ogado | **f**amília |
| **b**om**b**eiro | a**v**enida | di**f**ícil |

**2-** **Agora ouça e repita as frases.**

- O **b**om**b**eiro tra**b**alha em Lis**b**oa.
- A **V**anda **v**isita a a**v**ó.
- **F**alar é **f**ácil.

# APÊNDICE GRAMATICAL

## 1 Números

| | |
|---|---|
| 21 - vinte e um | 40 - quarenta |
| 22 - vinte e dois | 50 - cinquenta |
| 23 - vinte e três | 60 - sessenta |
| ......... | 70 - setenta |
| 30 - trinta | 80 - oitenta |
| 31 - trinta e um | 90 - noventa |
| ....... | 100 - cem |

## 2 Pronomes interrogativos

**Onde** fica o hotel?
**De onde** és?
**Qual** é a sua nacionalidade?
**Como** é a casa dele?
**O que** é isso?
**Quantos** quartos tem a sua casa?
**Quem** é ela?

## 3 Locuções de lugar

A minha casa fica **ao lado da** escola.
A escola é **em frente da** farmácia.
O hospital fica **atrás da** casa.
Há um restaurante **entre** a casa e a escola.
O lápis está **debaixo da** mesa.
A caneta está **dentro do** estojo.

**4** Verbos (Presente do Indicativo)

| ESTAR | |
|---|---|
| eu | *estou* |
| tu | *estás* |
| você/ela/ele | *está* |
| nós | *estamos* |
| vocês/elas/eles | *estão* |

| HAVER |
|---|
| *há* |

*Exemplos:*

Eu *estou* em Lisboa.
A sala *está* suja.
Os livros *estão* em cima da mesa.

*Exemplos:*

Onde *há* árvores?
*Há* uma farmácia nesta rua?

## Verbos regulares

| FAL**AR** | |
|---|---|
| eu | fal**o** |
| tu | fal**as** |
| você/ela/ele | fal**a** |
| nós | fal**amos** |
| vocês/elas/eles | fal**am** |

**5** Artigos indefinidos

| | Artigos indefinidos | |
|---|---|---|
| | masculino | feminino |
| **Singular** | *um* | *uma* |
| **Plural** | *uns* | *umas* |

*Exemplos:*

Eu tenho *um* quarto grande.
Temos *uns* amigos ingleses.

Tens *uma* caneta?
Esta cidade tem *umas* casas muito antigas.

## Pronomes demonstrativos (invariáveis)

**isto** (aqui)
**isso** (aí)
**aquilo** (ali)

*Exemplos:*

**Isto** aqui é a casa de banho.
O que é **isso** aí?
**Aquilo** ali é uma varanda.

 ## Adjectivos

**A** sala está limp**a**.
**O** quarto também está limp**o**.
**As** enfermeiras são simpátic**as**?
**Os** exercícios estão correct**os**?

**mas**

**A** sala é grand**e**.
**O** quarto é grand**e**.

# Unidade
# 3

# A. Queria ...

## 1- Diálogo no café

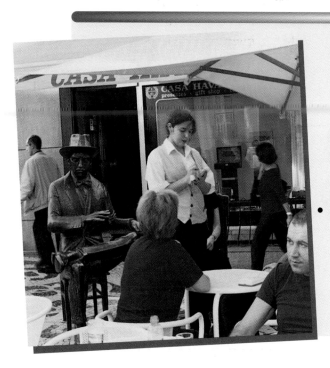

| | |
|---|---|
| **Empregada:** | Bom dia. Faça favor. |
| **Cliente:** | Bom dia. Queria um galão, uma torrada e um copo de água. |
| **Empregada:** | O galão é escuro ou claro? |
| **Cliente:** | Escuro. E queria a torrada com pouca manteiga, por favor. |
| **Empregada:** | Muito bem. |

. . .

| | |
|---|---|
| **Empregada:** | Aqui está. |
| **Cliente:** | Pago já. Quanto é? |
| **Empregada:** | São 2,14€ (dois euros e catorze cêntimos). |

## 2- As refeições

**À noite**
*Boa noite!*

**De manhã**
*Bom dia!*

7:00 – 8:30
**o pequeno-almoço**

19:30 – 21:00
**o jantar**

**À tarde**
*Boa tarde!*

12:00 – 14:00
**o almoço**

**3-** Coloque as palavras do quadro na coluna correcta.

cereais    açúcar    manteiga    arroz    legumes    bife
chá    pão    leite    sopa    peixe    torrada    batatas fritas
sandes    doce    fiambre    salada    vinho    massa
fruta    iogurte    sumo de laranja    café    queijo    frango

| Ao pequeno-almoço | Ao almoço | Ao jantar |
|---|---|---|

**4-** O que é que normalmente come e bebe ao pequeno-almoço? E ao almoço?

- "Ao pequeno-almoço como ...... e bebo ......"

**5-** Complete o quadro com as formas dos verbos.

| Presente do Indicativo | | | |
|---|---|---|---|
| Verbos Regulares | | | Verbos Reflexos |
| trabalhar<br>estudar<br>morar<br>jogar<br>tocar | comer<br>beber<br>compreender<br>viver<br>escrever | abrir<br>partir<br>preferir<br>vestir<br>repetir | lembrar-se<br>levantar-se<br>deitar-se<br>esquecer-se<br>vestir-se |
| -ar | -er | -ir | |
| **eu** trabalho | como | abro | lembro-me |
| **tu** estudas | bebes | partes | levantar-te |
| **você** mora | compreende | prefere | deita-se |
| **ela/ele** | | | |
| **nós** jogamos | vivemos | vestimos | esquecemos-nos |
| **vocês** tocam | escrevem | repetem | vestem-se |
| **elas/eles** | | | |

45

**6-** Ligue os elementos e faça frases correctas.

Formar frases

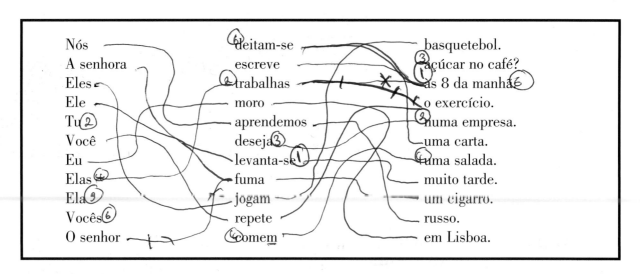

| | | |
|---|---|---|
| Nós | deitam-se | basquetebol. |
| A senhora | escreve | açúcar no café? |
| Eles | trabalhas | às 8 da manhã |
| Ele | moro | o exercício. |
| Tu | aprendemos | numa empresa. |
| Você | deseja | uma carta. |
| Eu | levanta-se | uma salada. |
| Elas | fuma | muito tarde. |
| Ela | jogam | um cigarro. |
| Vocês | repete | russo. |
| O senhor | comem | em Lisboa. |

**7-** As horas

As horas

## QUE HORAS SÃO?

| | | | |
|---|---|---|---|
| | São duas horas. | | São duas e um quarto. *ou* São duas e quinze. |
| | É uma hora. | | É uma e meia. *ou* É uma e trinta. |
| | É meio-dia. É meia-noite. | | São duas e quarenta. *ou* São vinte para as três. |

### Agora você. Que horas são?

## QUE HORAS SÃO?

| | | | |
|---|---|---|---|
| | são cinco para as nove | | são dez e cinco |
| | são vinte para as quatro | | são vinte e cinco para as nove |
| | são seis horas e meia | | são cinco para as duas |

## B. O dia - a - dia

Vocabulário

segunda-feira · terça-feira · quarta-feira · quinta-feira · sexta-feira · sábado · domingo

### A semana

1-

**1. Ouça os textos com atenção e depois leia-os.**

Compreensão oral: ler

## Texto A

O Pedro levanta-se às 7:00, toma um duche, veste-se e às 7:45 senta-se para comer. Ele toma o pequeno-almoço sempre em casa. Come sempre pão com manteiga e doce e bebe café com leite sem açúcar.

O Pedro é economista e entre as 9:00 e as 13:00 trabalha numa empresa no centro da cidade. Às 13:15 almoça com os colegas num restaurante perto do trabalho. Às terças e quintas às 18:00 tem aulas de inglês numa escola de línguas. À noite chega a casa e prepara o jantar. Janta às 20:00 e deita-se sempre às 22:00. Ao sábado de manhã, o Pedro vai às compras e à tarde limpa a casa. Ao sábado à noite, ele sai com os amigos e deita-se tarde. Ao domingo, ele só se levanta às 11 horas e almoça em casa dos pais.

## Texto B

A Isabel é médica num hospital nos arredores de Lisboa. É casada e tem dois filhos. Durante a semana, a Isabel levanta-se às 6:45, toma um duche, veste-se e prepara o pequeno-almoço para todos. O marido leva as crianças à escola e ela começa a trabalhar às 9:00. Às segundas, quartas e sextas às 13:00 a Isabel come normalmente só uma sandes e bebe um sumo, porque tem de estar cedo no consultório. Às terças e quintas à tarde, a Isabel tem ginástica.

À noite toda a família janta às 20:15 e todos conversam. As crianças deitam-se cedo, mas os pais nunca se deitam antes das 23:00. Depois do jantar, eles gostam de ler um livro ou ver televisão. Eles passam o fim-de-semana numa casa que têm perto do mar. Lá, eles descansam, andam de bicicleta e, às vezes, vão à praia.

**2. Complete estes horários com as informações dos textos.**

Completar horário

## O Pedro

| | 2.ª feira | 3.ª feira | 4.ª feira | 5.ª feira | 6.ª feira | sábado | domingo |
|---|---|---|---|---|---|---|---|
| **Das 7:00 às 8:00** | - levanta-se<br>- ~~ducte~~ tomar um ducte<br>- veshir-se<br>- toma p-a | | | | | | - Levanta-se tarde |
| **Das 9:00 às 13:00** | trabahlar | | | | | Vai as compras | Almoca a casa dos pais |
| **Às 13:15** | | | | | | limpaa cassa | |
| **Às 18:00** | | - tem aulas de inglês | | - tem aulas de inglês | | | |
| **Às 20:00** | ~~come~~ Jantar | | | | | Sai com os amigos | |
| **Às 22:00** | | - deita-se | | | | | |

tarde

## A Isabel

| | 2.ª feira | 3.ª feira | 4.ª feira | 5.ª feira | 6.ª feira | sábado | domingo |
|---|---|---|---|---|---|---|---|
| **Às 06:45** | - levanta-se<br>- douche veshir-se<br>- prepara o p-a para todos | | | | | - vai para casa perto do mar | |
| **Às 09:00** | Começar a trabalhar | | | | | | |
| **Às 13:00** | - almoça | | | | | - anda de bicicleta | |
| **À tarde** | | ginàshca | | ginàshca | | - descansa | |
| **Às 20:15** | Janta | | | | | | |
| **À noite** | ler um livro ou ver tv | | | | | - às vezes vai à praia | |

## 3. Responda. A que horas é que...

Compreensão do texto

✑ o Pedro se levanta? _____ *Levanta-se* **às** *7:00 horas.*

✑ o Pedro toma o pequeno-almoço? _____

✑ o Pedro almoça? _____

✑ o Pedro janta? _____

✑ o Pedro se deita? _____

✑ o Pedro normalmente se levanta ao domingo? _____

### Atenção

> **A** que horas...?
> **à** 1 hora
> **à** meia-noite
> **às** 2 horas
> **ao** meio-dia

## 4. Ouça novamente o texto B e complete as frases.

Compreensão oral

**B**

A Isabel é _medico_ num hospital nos arredores _em_ (de) Lisboa. É _cassada_ e _tem_ dois filhos. Durante a semana, a Isabel _levente-se_ às 6:45, _toma_ um duche, veste-se e prepara o _p-a_ para todos. O marido leva as _crianças_ (colectas) à escola e ela começa a _trabalhar_ às 9:00. Às segundas, _quartas_ e sextas, _Xas_ 13:00, a Isabel come normalmente só uma sandes e _bebe_ um sumo, porque _tem_ de estar cedo no consultório. Às terças e _quintas_ à tarde, a Isabel _tem_ ginástica. À _noite_ toda a família janta _as_ 20:15 e todos conversam. As crianças _deitam-se_ cedo, mas os pais nunca _se deitam-se (deite-se)_ antes das 23.00. Depois do _Jentar_, eles gostam de ler um _livro_ ou ver televisão. Eles passam o fim-de-semana numa casa que _tem_ perto do mar. Lá, eles descansam, andam de bicicleta e, às vezes, vão à _pnar_.

## 5. Ligue A com B de modo a formar uma frase.

Compreensão do texto

| A | B |
|---|---|
| 1. Durante a semana | a. ler um livro ou ver televisão. |
| 2. A Isabel prepara | b. a Isabel tem ginástica. |
| 3. O marido | c. a Isabel levanta-se às 6:45. |
| 4. Às terças e quintas à tarde | d. leva as crianças à escola. |
| 5. Eles gostam de | e. o pequeno-almoço para todos. |

**2-** Descreva o dia a dia do Sr. Saraiva. Utilize os verbos: | Conjugar verbos
levantar-se, tomar, preparar, sair, apanhar, trabalhar,
almoçar, deitar-se; ir; chegar(a); jantar.

1. Ele levente-se ás sete horas

2. Ele toma um douche

3. Ele pepara de um chá

4. A tomar o pequeno-almoço, tomar chá e hesta pão

5. As oito horas o Sr. Saraiva sais de casa.

6. Entre as oito e dez e as oito e vinte o Sr Saraiva apanha o autocarro

7. o Sr. Saraiva trabahla entre por as nove horas e tres horas

8. As tres horas e quarto ele come almoça para com eleoscolegas

9. As três horas ele regressa de ao trabalho

10. Depois trabalho, entre as Seis e Sete horas, o Sr Saraiva vai as compras

11. Depois des comprasas ele regressa de casa muito cansado.

12. As Nove horas com Jantar.

13. *À noite, depois do jantar, ele e a mulher vêem televisão.*

14. depois do sexo eles deitam-se a meio-noit

Alex

**3-** Fale sobre o seu dia a dia e sobre o seu fim-de-semana. | Falar
Agora faça perguntas a um colega ou ao professor.

**4-**

## 1. Leia o texto.

Os portugueses levantam-se normalmente entre as 7:30 e as 8:30. Muitos tomam o pequeno-almoço em casa: pão com manteiga e doce ou queijo e café com leite. Outros tomam o pequeno-almoço numa pastelaria: um bolo e um café, por exemplo.

Começam a trabalhar por volta das 9 horas. Ao almoço, as pessoas que não têm tempo de ir a casa almoçar comem num restaurante perto do trabalho.

O jantar é entre as 8 e as 9 horas e normalmente é uma refeição completa.

Os portugueses não se costumam deitar cedo.

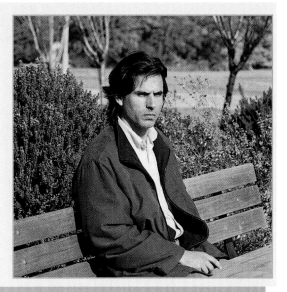

## 2. Verdadeiro *ou* falso?

a - Todos os portugueses tomam o pequeno-almoço em casa.

b - Normalmente os portugueses levantam-se depois das 8 horas.

c - Muitos portugueses não almoçam em casa.

d - Ao jantar, os portugueses comem pão com manteiga e bebem café com leite.

e - Os portugueses costumam deitar-se às 9:30.

## 3. Como é no seu país?

**5-** Faça frases com os elementos das duas colunas como no exemplo.

*Exemplo:*

Eu **tomo** um **duche**.

| A | B |
|---|---|
| **tomar** | um café |
| levantar-se | às 23 horas |
| comer | depois de tomar duche |
| beber | no restaurante |
| vestir-se | **duche** |
| sentar-se | uma sandes |
| trabalhar | o jantar na cozinha |
| almoçar | no sofá |
| chegar | às 7:30 |
| preparar | a casa às 18 horas |
| deitar-se | num escritório |

## 6- Responda com o verbo como no exemplo.

Responder oralmente com o verbo

> - **Tomas** o pequeno-almoço em casa?
> - **Tomo.**

-Ele toma um duche de manhã?

-Trabalha em casa?

-Come pão com manteiga ao pequeno-almoço?

-Levanta-se cedo?

-Vocês tomam café à noite?

-Ela come sopa ao jantar?

-Vocês comem sobremesa?

-Vestes-te no quarto?

-Ela abre a porta de casa?

-Vocês preferem beber chá?

## 7- Agora faça perguntas ao seu colega com os verbos:

Falar

| | |
|---|---|
| comer | levantar-se |
| abrir | preferir |
| estudar | fumar |
| tomar | lembrar-se (de) |
| beber | deitar-se |
| compreender | gostar (de) |

## 8-

### 1. Primeiro ouça e depois leia o diálogo.

Vocabulário; compreensão oral e escrita

**No restaurante**

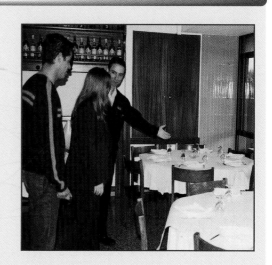

**A -** Boa tarde.

**B -** Boa tarde.

**A -** Têm mesa reservada?

**B -** Não, não temos.

**A -** Bem, a esta hora não há problema. Preferem esta mesa ou aquela ali perto da janela?

**B -** Eu prefiro aquela perto da janela.

**C -** Sim, sim. Também acho.

**A -** Então, façam favor. Aqui têm a lista.

**B -** Obrigada.

## RESTAURANTE LARA

# Ementa

**Sopas:**

Caldo verde . . . . . . . . . . . . . . . . . . . . . . . . . . . . . . . .1€
Sopa de legumes . . . . . . . . . . . . . . . . . . . . . . . . . .1€

**Peixes:**

Omeleta de camarão com salada . . . . . . . . . . . .9,50€
Filetes de pescada com arroz de tomate . . . . . . . . .9€
Sardinhas assadas . . . . . . . . . . . . . . . . . . . . . . . . .9€
Bacalhau cozido com batatas . . . . . . . . . . . . . .8,50€

**Carnes:**

Febras com batatas fritas . . . . . . . . . . . . . . . . .7,50€
Costeletas com batatas fritas e salada . . . . . . . .8,50€
Bife grelhado com arroz . . . . . . . . . . . . . . . . . . . .9€
Frango assado no forno . . . . . . . . . . . . . . . . . .8,75€

**Sobremesas:**

Queijo da Serra . . . . . . . . . . . . . . . . . . . . . . . . .4,25€
Mousse de chocolate . . . . . . . . . . . . . . . . . . . .1,75€
Pudim de ovos . . . . . . . . . . . . . . . . . . . . . . . . . . .2€
Fruta da época . . . . . . . . . . . . . . . . . . . . . . . . .1,50€

---

**C -** Olhe eu queria uma sopa de legumes e uma dose de sardinhas assadas.
E tu?

**B -** Eu prefiro um caldo verde e uma dose de frango assado.

**A -** E para beber?

**B -** Eu bebo uma água mineral sem gás.

**A -** Fresca?

**B -** Não, não. Natural.

**A -** Com certeza. E o senhor?

**C -** Eu bebo uma imperial.

## 2. Junte A + B de modo a formar uma frase:

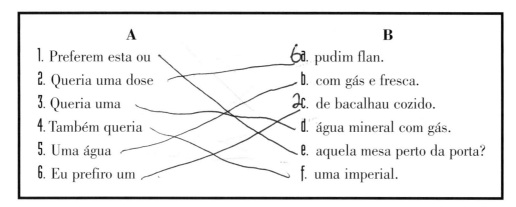

| A | B |
|---|---|
| 1. Preferem esta ou | a. pudim flan. |
| 2. Queria uma dose | b. com gás e fresca. |
| 3. Queria uma | c. de bacalhau cozido. |
| 4. Também queria | d. água mineral com gás. |
| 5. Uma água | e. aquela mesa perto da porta? |
| 6. Eu prefiro um | f. uma imperial. |

**3-** Imagine que está no restaurante.
Leia a lista e faça um diálogo com o empregado.

`Falar`

**9-** Ouça e leia os diálogos e use o vocabulário alternativo para novos diálogos.

**A**  Na pastelaria

`Ouvir, ler e falar`

A - Faça favor.
B - Queria uma bica e um pastel de nata, por favor.
A - Aqui está.
B - Quanto é?
A - É 1 euro e 50 (cêntimos).
B - Faça favor.
A - Não tem os 50 cêntimos?
B - Humm... Tenho sim.
A - Obrigado.
B - Até amanhã!
A - Até amanhã e muito obrigado!

Vocabulário alternativo:
- galão
- chá
- sandes de fiambre
- sumo de laranja natural
- uma água com gás
- um bolo

**B**  Na papelaria

`Ouvir, ler e falar`

A - Bom dia.
B - Bom dia. Olhe, queria dois envelopes e uma
caneta azul.
A - Gosta desta?
B - Gosto, essas escrevem bem.
A - É tudo?
B - Não, também queria esta revista. Quanto é tudo?
A - Um momento. São 7 euros.
B - Faça favor.
A - Muito obrigado e um bom dia.
B - Bom dia.

Vocabulário alternativo:
- jornal
- borracha
- lápis
- bloco A4
- caderno
- caixa de lápis de cor

10-

**Atenção**

| Gramática: **estar a +**<br>**Infinitivo** |
| --- |

Normalmente

> eu leio o jornal,
> tu ouves música,
> ele joga futebol,
> nós ouvimos as notícias,
> eles brincam com os colegas,

mas agora

> **estou a ler** um livro.
> **estás a ver** televisão.
> **está a jogar** ténis.
> **estamos a ouvir** música.
> **estão a brincar** com os amigos.

| Falar |
| --- |

## O que é que está/estão a fazer?

**11- Junte as frases utilizando *e* ou *mas*.**

Usar **e** ou **mas**

1. Gosto de queijo. Não gosto de queijo sem pão.

2. Como pão com fiambre. Bebo chá com açúcar.

3. Os portugueses jantam tarde. Os espanhóis jantam ainda mais tarde.

4. Tenho ginástica às terças e quintas. Tenho aulas à sexta-feira.

5. Gosto de carne. Prefiro peixe.

6. Queria uma bica. Queria um bolo.

## Expressões

| | |
|---|---|
| É tudo. | Que horas são? |
| Aqui está. | Olhe, queria… |
| Pago já. | Queria... |
| Quanto é? | Eu prefiro… |
| Quanto é tudo? | Também acho. |
| Muito bem. | O que é que eles estão a fazer? |

## C. Fonética

**Vamos praticar os dois sons da letra r.**

**Ouça e repita as palavras:**

| | |
|---|---|
| rápido | caro |
| arroz | falar |
| carro | três |
| Rui | catorze |
| riso | pergunta |
| corro | troco |
| borracha | horas |
| correcto | quarto |

# APÊNDICE GRAMATICAL

**1** Presente do Indicativo - verbos regulares

|  | -ar | -er | -ir |
|---|---|---|---|
| eu | *-o* | *-o* | *-o* |
| tu | *-as* | *-es* | *-es* |
| você/ela/ele | *-a* | *-e* | *-e* |
| nós | *-amos* | *-emos* | *-imos* |
| vocês/elas/eles | *-am* | *-em* | *-em* |

*Nota:* os verbos **vestir, despir, sentir, preferir, conseguir** mudam o **e** para **i** na 1ª pessoa do singular: eu visto; eu dispo; eu sinto; eu prefiro; eu consigo.

**2** Verbos reflexos: **sentar-se; levantar-se; deitar-se; vestir-se; despir-se; lembrar-se; esquecer-se...**

|  |  |
|---|---|
| eu | sento-me |
| tu | sentas-te |
| você/ela/ele | senta-se |
| nós | sentamo-nos |
| vocês/elas/eles | sentam-se |

*Nota:* os pronomes reflexos ficam antes do verbo depois de: *pronomes interrogativos; já; ainda; também; só; não; nunca; que; onde; todos...*

*Exemplos:*

Ela ***deita-se*** muito cedo.      *mas*      Ela nunca ***se deita*** cedo.

Eles ***vestem-se*** depressa.      *mas*      Onde é que eles ***se vestem***?

**3** *Estar a* + Infinitivo

Usa-se para acções que acontecem no momento em que falamos.

**Agora/ Neste momento**

|  |  |
|---|---|
| Eu | ***estou a estudar*** português. |
| Tu | ***estás a ler*** um livro. |
| Você/Ela/Ele | ***está a ver*** televisão. |
| Nós | ***estamos a correr***. |
| Vocês/Elas/Eles | ***estão a jogar*** futebol. |

# APÊNDICE GRAMATICAL

 **Preposições de tempo**

*if its
↓ 'usual' for you to do*

*if its
↓ 'unusual' for you to do*

| *Dias da semana:* **(habitual)** | **(pontual)** |
|---|---|
| **ao** domingo | **no** domingo |
| **ao** sábado | **no** sábado |
| **à** segunda-feira | **na** segunda-feira |

**Partes do dia:**

*de* manhã
*de/à* tarde
*à* noite
*de* noite

**Horas:** *à* uma hora; *à* meia-noite; *ao* meio-dia; *às* duas horas

 **Números**

101 - cento e um
200 - duzentos
300 - trezentos
400 - quatrocentos
500 - quinhentos
600 - seiscentos
700 - setecentos
800 - oitocentos
900 - novecentos
1000 - mil

# UNIDADE DE REVISÃO 1

1. Preencha os espaços com os verbos na forma adequada.

   1. Ela (ser) _____ casada, mas eu _____ solteira.

   2. (morar) _____ em Lisboa e a minha casa (ser) _____ muito grande.

   3. A Ingrid (ser) _____ da Noruega.

   4. Eles (falar) _____ muitas línguas estrangeiras.

   5. O Pedro e o Manuel (comprar) _____ livros e discos frequentemente.

   6. (tu) (aceitar) _____ um café?

   7. A Laura (escrever) _____ muitos postais e cartas aos amigos.

   8. Nós (decidir) _____ fazer férias, porque (estar) _____ muito cansados.

   9. A filha da Maria (ter) _____ nove anos e (chamar-se) _____ Rita.

10. A Rita (gostar) _____ de brincar no parque em frente da casa.

11. Eles (beber) _____ muitos cafés por dia.

12. De manhã eu (levantar-se) _____ às 7:00 e à noite nunca (deitar-se)
_____ antes da meia-noite.

13. O Ralph (ser) _____ da Alemanha, mas (viver) _____ no Alentejo.

14. Eu (partir) _____ às 11:15 para Nova Iorque.


2. Ponha as palavras na ordem correcta.

   1. português é A fala Susan Inglaterra da mas
   _____

   2. tens Quantos anos?
   _____

   3. Ela os todos deita-se dias tarde
   _____

   4. O sr. no é português e Fonseca mora Brasil
   _____

   5. me domingo nunca cedo Ao levanto
   _____

   6. Portugal e trabalha é A Marianne alemã em
   _____

   7. José Como do se é que a chama mãe?
   _____

   8. regulares nós Hoje a verbos estamos estudar os
   _____

   9. horas As às aulas nove começam
   _____

3. Faça as perguntas adequadas a estas respostas.

1. _____

   Sim, tenho amigos em Portugal.

2. _____

   Levanto-me sempre às 6:30.

3. _____

   Sou de Bruxelas.

4. _____

   São 2 euros e 40 cêntimos.

5. _____

   Sim, lembro-me muito bem do Raul.

6. _____

   O hotel fica ao lado dos correios.

7. _____

   Tenho 20 anos.

8. _____

   Agora vivo em Lisboa.

9. _____

   A Marta é a irmã do José.

10. _____

   Chamo-me Sara.

4. Escolha a resposta correcta.

| | |
|---|---|
| 1. Como está? | a. Hoje é quarta. |
| 2. Como se chama? | b. Sou médica. |
| 3. Qual é a tua nacionalidade? | c. Só um copo de leite frio. |
| 4. De onde é? | d. Bem, obrigada. |
| 5. Qual é a sua profissão? | e. Chamo-me Paula Costa. |
| 6. Quantos anos tem? | f. Sou portuguesa. |
| 7. Que horas são? | g. Sou de Setúbal. |
| 8. O que é que toma ao pequeno-almoço? | h. Tenho vinte e três. |
| 9. Quais são os dias da semana? | i. São dez e meia. |
| 10. Que dia é hoje? | j. Segunda, terça, quarta, quinta, sexta, sábado e domingo. |

5. Diga: a) O que é que fazem aos sábados à noite?
       b) O que é que estão a fazer agora?

a) Ele _____
b) _____

a) Eles _____
b) _____

a) Ele *vê* um jogo de futebol.
b) Agora ele *está a ver* um
   jogo de futebol.

a) Eles _____
b) _____

a) Eles _____
b) _____

a) Elas _____
b) _____

6. Que horas são?

| 7:00 | 8:45 | 9:15 | 9:50 |
| São _____ _____ | _____ _____ | _____ _____ | _____ _____ |
| 10:22 | 12:10 | 17:20 | 20:50 |
| _____ _____ | _____ _____ | _____ _____ | _____ _____ |

7. Encontre a lógica desta série de números e acrescente o número a seguir em cada fila.

| | | | |
|---|---|---|---|
| três | seis | nove | doze | _____ |
| vinte e um | vinte e quatro | vinte e sete | trinta | _____ |
| dez | vinte | trinta | quarenta | _____ |
| trinta e dois | quarenta | quarenta e oito | | _____ |
| quinze | vinte | vinte e cinco | | _____ |

8. Qual é a palavra que não tem relação com o grupo?

estudante
professor
médico
mesa
secretária

cama
mesa de cabeceira
fogão
cómoda
roupeiro

leite
sumo
café
pão
cerveja

compras
trabalhas
vendes
sou
decides

9. Leia o diálogo e depois preencha o impresso.

- A senhora é americana?
- Sou, sim. Sou de Denver, nos Estados Unidos.
- Qual é o seu nome?
- Chamo-me Helen Rockfeller.
- É casada?
- Não, não. Sou divorciada.
- Qual é a sua profissão?
- Sou jornalista.
- Quantos anos tem?
- Tenho 50 anos.

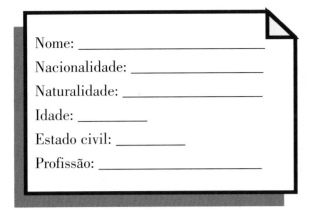

Nome: _____

Nacionalidade: _____

Naturalidade: _____

Idade: _____

Estado civil: _____

Profissão: _____

10. Agora preencha este impresso com os seus dados pessoais (ou de um amigo/a).

Nome: _____

Nacionalidade: _____

Naturalidade: _____

Data de Nascimento: ___ / __ / ____

Estado civil: _____

Profissão: _____

11. São 11 horas da manhã e você vai ao café.
    O que pede?
    Faça um diálogo com o empregado. Pode escolher palavras da lista dada.

# Menu

**PARA COMER**

sandes ⎰ de fiambre
⎱ de queijo

tosta
sandes mista
torrada
sandes de presunto
bolo
empada
rissol

**PARA BEBER**

café
garoto
carioca
galão
chá
sumo de laranja
copo de leite

Empregado: Bom dia.

Você:   Bom dia, queria _____. Por favor.

Empregado:   _____.

Você: _____.

……..

……..

12. Agora vai à papelaria.
    Faça o diálogo entre você e o empregado.
    Escolha palavras da lista dada.

um caderno
(liso/pautado/quadriculado)
um bloco
uma caneta
um lápis
um dossier
separadores
envelopes
jornal
revista

13. Descreva as imagens. Use as expressões dadas.

em frente de / ao lado de / entre / atrás de / debaixo de

# Unidade
# 4

# A. Convidar

## 1- Queres ir ao Coliseu?

**Paulo:** Olha, Ricardo! Os Madredeus vão tocar no Coliseu no próximo fim-de-semana. Queres ir? Acho que vai ser um bom espectáculo e há muito tempo que não vou a um concerto.

**Ricardo:** Gosto muito dos Madredeus. A música deles é fantástica. Também não vou a um concerto desde Dezembro. Mas não achas que os bilhetes são muito caros? Não tenho muito dinheiro.

**Paulo:** Sim, não devem ser baratos. Mas acho que vale a pena.

**Ricardo:** Também acho que sim, mas na próxima semana tenho exame e tenho de estudar. Acho que prefiro voltar para casa dos meus pais em Serpa. Lá, tenho mais sossego e concentro-me melhor.

**Paulo:** Que pena! Mas acho que tens razão. Aqui em Lisboa não consegues estudar. Há sempre muitas coisas para fazer. Bom, vou perguntar ao Rui se ele quer ir. Vou telefonar-lhe hoje à noite. Não quero ir sozinho.

**Ricardo:** Tenho a certeza que o Rui vai. Os Madredeus são o grupo preferido dele e ele não tem problemas de dinheiro, nem exames na próxima semana. Divirtam-se!

**Repare nos seguintes verbos e expressões.**

| CONVIDAR / ACEITAR / RECUSAR | |
|---|---|
| Queres...? | Não sei... |
| Não queres ir...? | Hoje não posso. |
| Preferes...? | Quero. É uma óptima ideia. |
| Não achas que...? | Acho que... |
| Podes...? | Prefiro... |
| Quando é que...? | Desculpa, mas... |
| Onde é que...? | Que pena! |

**2-** **Veja se as seguintes afirmações sobre o diálogo são verdadeiras ou falsas.**

Compreensão do texto

1. Os Madredeus são um grupo de teatro.   *un grupo de musica*

   **Verdadeiro** ❏   **Falso** ☑

2. Os bilhetes para o espectáculo dos Madredeus devem ser baratos.

   **Verdadeiro** ❏   **Falso** ☑

3. O Ricardo e o Paulo gostam muito dos Madredeus.

   **Verdadeiro** ☑   **Falso** ❏

4. Em Lisboa o Ricardo não consegue estudar muito.

   **Verdadeiro** ☑   **Falso** ❏

5. O Paulo decide convidar o Rui porque não quer ir ao concerto sozinho.

   **Verdadeiro** ☑   **Falso** ❏

6. O Rui não tem muito dinheiro.

   **Verdadeiro** ❏   **Falso** ☑

7. O Rui não gosta muito dos Madredeus.

   **Verdadeiro** ❏   **Falso** ☑

**3-**

1. **Preste atenção às seguintes formas e conjugue os verbos.**

   **Gramática: verbos irregulares no Presente do Indicativo**

   | | querer | saber | poder |
   |---|---|---|---|
   | eu | quero | sei | posso |
   | ela/ele | quer | sabe | pode |

2. **Faça uma frase com cada um dos verbos.**

   Eu quero uma nova cerebro

   Ela sabe muito

   Ele pode vais a noite

**3.** Complete o quadro com o verbo *ir*. Use as seguintes formas: *vais; vamos; vou; vão; vai.*

|  | **ir** |
|---|---|
| eu | VOU |
| tu | vais |
| você | vai |
| ela/ele | vai |
| nós | vamos |
| vocês | vão |
| elas/eles | vão |

**4.** Complete com os verbos *ir, querer, poder* e *saber* na forma correcta.

O Paulo _quer_ ir ao concerto dos Madredeus no próximo fim-de-semana.
O Ricardo não _pode_ ir, porque tem de estudar. Ele _vai_ para casa dos pais.

**Ricardo:** "Sabes se o Rui _quer_ ir ao concerto?"
**Paulo:** "Não, não _sabe sai_."

O Paulo _vai_ telefonar ao Rui, porque pensa que ele _quer_ ir com ele. Assim, os dois _vão_ ao concerto e _podem_ divertir-se.

**5.** Complete o texto com as formas verbais que se encontram dentro do quadro.

| há | gosta | vão | estuda | assistem |
|---|---|---|---|---|
| tem | prefere | descansa | gostam | pode |

O Paulo e o Rui _gostam_ muito de música. Todos os anos eles _vão_ a muitos concertos de música rock ou música popular portuguesa e, às vezes, também _assistem_ a concertos de música clássica. O Ricardo também _gosta_ de ir a concertos, mas muitas vezes não _pode_ ir com os amigos, porque não _tem_ muito dinheiro. Em Lisboa _há_ sempre muitas possibilidades para ocupar o tempo: discotecas, bares, exposições, etc. Então, o Ricardo _prefere_ ir para casa dos pais no Alentejo. Lá ele _descansa_ e _estuda_ .

**4-** Escreva os diálogos na ordem correcta. Depois ouça-os com atenção.

a.3- Que pena! E amanhã?

2- Esta noite? Esta noite não posso. Vou jantar com os meus pais.

5- Óptimo!

1- Olá, Vanda. Queres ir ao cinema esta noite ?

4- Amanhã à noite estou livre. Podemos ir.

a. - _____
   - _____
   - _____
   - _____
   - _____

b.2 Não, porquê?

4- Sim, é uma excelente ideia. A que horas vamos?

1- Tens algum plano para sábado?

5- De manhã. Assim, podemos subir a serra a pé e visitamos o Palácio da Pena.

3- Não queres ir a Sintra?

6- Está combinado.

b. - _____
   - _____
   - _____
   - _____
   - _____
   - _____
   - _____

# B. Actividades para o tempo livre

**1-** Leia o texto.

O Ricardo não pode ir ao Coliseu, porque tem de estudar. Então, o Paulo decide perguntar ao Rui se quer ir ao Coliseu ver os Madredeus. O concerto é no próximo fim-de-semana de Abril. No sábado, dia 6, o Rui não tem nada para fazer e acha óptima a ideia do Paulo. Combinam encontrar-se num café e depois vão no carro do Rui para o Coliseu. Vai ser uma noite muito agradável.

**2-** Complete as perguntas sobre o texto com o pronome interrogativo adequado (*porque, quando, quem, onde*) e responda às perguntas.

1. _____ é que o Ricardo não pode ir com o Paulo?

_____

2. _____ é que o Paulo decide convidar?

_____

3. _____ é que eles decidem ir ao concerto?

_____

4. _____ é que eles decidem encontrar-se?

_____

5. _____ é o concerto dos Madredeus?

_____

**3 -** **Agora complete a conversa do Paulo ao telefone com o Rui. Depois, leia-o com um colega. Você é o Paulo.**

> Ao telefone: completar diálogo; ler

**Rui:** Está?

**Paulo:** Estou. Rui? Daqui fala o Paulo.

**Rui:** Ah! Olá! Tudo bem?

**Paulo:** _Queres ~~ir~~ ao concerto de Madredeus, próxima sf.?_ *(na)*

**Rui:** Na próxima sexta-feira não posso, mas no sábado estou livre. É uma óptima ideia.

**Paulo:** _Sabado está bêm! Onde Combinarmos_

**Rui:** Olha, podemos encontrar-nos no café às 20:30. O que é que achas?

**Paulo:** _Sim, é uma excellente ideia. ~~Nos~~ vamos de metro._ *(Depois,)*

**Rui:** Não, de metro não. Vamos no meu carro. O Ricardo também vai?

**Paulo:** _Não._

**Rui:** Porquê?

**Paulo:** _Porquê, ele ~~vai~~ ~~para~~ casa dos pais ~~e~~ estuda_ *(para) (para)*

**Rui:** Que pena. Bom, então encontramo-nos no sábado.

**Paulo:** _Si. Ate sábado_

**Rui:** Até sábado.

**4-**

**1. Repare no exemplo.**

Gramática: **ir** + meios de transporte

> Não vamos **de** metro. Vamos **no** meu carro.

**Com os elementos do quadro faça frases com o verbo _ir_.**

*for 'any' form of transport use 'de' and no artivo*

| | | | |
|---|---|---|---|
| Eu | vou | de | carro. |
| Tu | vais | no | autocarro nº 31. |
| Você | vai / vão | no | avião da TAP. |
| Ela | vai | de | bicicleta. |
| Ele | vai / _ir_ | dna / **de/em** | minha mota. |
| Nós | vamos | na | camioneta das 18:00. |
| Vocês | vão | de | comboio. |
| Elas | vão | | neste barco. |
| Eles | vão | de | eléctrico. |

*Vou de Carro I am taking the car*

**2.**

Gramática: **ir para / ir a**

> ir ⎫
> vir ⎬ **para** (*longa permanência*)
> voltar ⎭ **a** (*curta permanência*) + *artigo*

*Exemplo:*

> Vamos **ao** concerto?
> Prefiro voltar **para** a casa dos meus pais.

**Complete com _para_ ou _a_.**

1. Eu vou viver _para_ o Porto.
2. Tu, à noite, vens sempre _para_ casa muito tarde.
3. Ele vai _a_ casa almoçar.
4. No próximo ano, ela vai voltar _a_ Lisboa para passar uma semana de férias.
5. Hoje nós vamos _ao_ cinema.
6. Eles vêm todos os dias _a_ este restaurante.
7. Vocês vão estudar _para_ Paris.

**5-** Use as formas dos verbos *ver*, *ler* e *vir* do quadro e coloque-as no local correcto.

Gramática: **verbos irregulares no Presente**

| vens | vejo | vimos | vê | lemos | vês |
| | lês | vemos | lêem | vem | |
| vêem | lê | vêm | venho | leio | |

| | **ver** | **ler** | **vir** |
|---|---|---|---|
| eu | vejo | leio | venho |
| tu | vês | lês | ~~vês~~ vens |
| você | vê | lê | vêm |
| ela/ele | vê | lê | vem |
| nós | vemos | lemos | vimos |
| vocês | vêem | lêem | vêm |
| elas/eles | vêem | lêem | vêm |

**6-** Acções habituais e acções no futuro.

**1-**

Gramática: **ir + Infinitivo** - acções no futuro

a) **Acções habituais:**

> Ao domingo à noite o Paulo *vê* sempre televisão.

b) **Acções futuras:**

> No próximo domingo à noite ele *vai ver* televisão.

**Continue a fazer frases.**

a) O que é que o Paulo **faz** ao fim-de-semana?

b) O que é ele **vai fazer** no próximo fim-de-semana.

1. ver televisão
2. ler o jornal
3. ir ao cinema
4. jantar fora
5. praticar desporto
6. sair com os amigos
7. ler um livro
8. jogar computador
9. ir à praia
10. passear com a família

2. a) Aos stados dias Paulo lê o Jornal
   b) No próximo fim-de-semana ele vai ler o Jornal
3. a) Ao sabado à noite o Paulo vais ao Cinema
   b) No proximo sabado à noite ele vai ir ao Cinema

'ir' does not repeat

4. a) _____ o Paulo janta fora
   b) _____ ele vai jantar fora

5. a) _____ o Paulo pratica desporto
   b) _____ ele vai praticar desporto

6. a) _____ o Paulo sai com os amigos
   b) _____ ele vai sair com os amigos

7. a) _____ o Paulo lê um livro
   b) _____ ele vai ler um livro

8. a) _____ o Paulo joga computador
   b) _____ ele vai jogar computador

9. a) _____ o Paulo vais à praia
   b) _____ ele vai à praia

10. a) _____ o Paulo passeia com a família
    b) _____ ele vai passear com a família

**2.** **O que é que você faz ao fim-de-semana?**
**Faça também perguntas ao seu colega ou ao professor.**

Falar: acções habituais

*Exemplo:*

> Costuma sair à sexta-feira à noite?
> A que horas é que se levanta ao sábado?

pouco mais
— nothing
important.

**3.** **O que é que vai fazer no próximo fim-de-**
**-semana?**

Falar: o próximo fim-de-
-semana

**7-** **Sem olhar, ouça as perguntas e responda com o**
**verbo na 1ª pessoa.**
**Agora responda por escrito.**

Compreender a pergunta e
responder com o verbo

1. Compreendes o texto? ____Compreendo_____

2. Queres ir ao cinema? ____Quero_____

3. Podes estar no café às 8 horas? ~~Podo~~ Posso

4. Prefere ir ao teatro? ____Prefiro_____

5. Bebes café depois do jantar? ____Bebo_____

6. Vai para casa? ____Vou_____

7. Achas que o concerto é bom? _Acho_

8. Tens dinheiro para o bilhete? _Tenho_

9. Gosta dos Madredeus? _Gosto_

10. Gastas muito dinheiro? _Gasto_

11. Telefonas ao Rui? _Telefono_

12. Tens exame na próxima semana? _Tenho_

13. Lembras-te do Ricardo? _Lembro-me_

14. Sabes a que horas é o concerto? _Sabes sei_

**8-** **Complete o texto com as palavras que se encontram dentro do quadro.**

Gramática: completar
com **preposições**

| para | (de) | à | ao | em | no | para |
|------|------|---|----|----|----|----|
| na | dos | da | no | à | de | com |

A Jean é ~~para~~ _dos_ Estados Unidos, mas agora vive _em_ Portugal, _na_ casa ~~dos~~ _de_ uns amigos portugueses. Eles vivem ~~no~~ _e_ centro _da_ cidade. _No_ próximo sábado à ~~à~~ noite eles vão _ao_ cinema. Vão ver um filme português. Depois, vão ~~este~~ um bar brasileiro e só voltam ~~de~~ _para_ casa muito tarde. A Jean gosta muito _de_ sair _com_ estes amigos. No próximo ano ela vai voltar _para_ os EUA.

**9-** **Há quanto** tempo...?/ **Desde quando**...?

Gramática: **há / desde**

*Exemplo:*

**Há quanto tempo** é que vives neste apartamento?
Vivo neste apartamento **desde** Janeiro.

ou

Vivo neste apartamento **há** 5 meses.

**Faça perguntas aos seus colegas ou ao professor.
Pode utilizar as palavras dos quadros.**

Falar

| estudar | viver | jogar |
|---------|-------|-------|
| trabalhar | ler | usar | estar |
| conhecer | saber | ter |

| português | ténis | golf |
|-----------|-------|------|
| ginástica | livro | jornal | óculos |
| carro | Lisboa | empresa |

# 10 - Leia a carta da Catarina.

Uma carta: ler e compreender

*Londres, 15 de Novembro de 2002*

*Querida Rute:*

*Já estou em Londres desde o dia 1 de Setembro. É verdade! O tempo passa depressa. Tenho aulas todos os dias e tenho de estudar muito. Mas ao fim-de-semana levanto-me sempre mais tarde. Ao sábado, jogo ténis com um colega e depois normalmente almoçamos juntos. À tarde vou ao supermercado e compro algumas coisas para comer. Ao sábado à noite, vou sempre jantar com amigos ou colegas e depois vamos a um bar, a uma discoteca ou ao cinema. Deito-me sempre muito tarde. Ao domingo de manhã, levanto--me por volta das 11 horas, tomo um bom pequeno-almoço e fico em casa a estudar. Às vezes, leio um jornal ou um livro, ou vejo um pouco de televisão.*

*E tu? Como estás? E a tua família? Tens de escrever-me a contar tudo. Como está a Joana? Amanhã vou escrever-lhe. Os meus pais telefonam-me todas as semanas, mas tenho saudades deles. No Natal vou voltar para passar duas semanas e ver todos. Vamos ter muito para falar.*

*Até Dezembro e beijinhos para todos da*
*Catarina*

# 11 - Termine as frases, seleccionando a opção correcta.

Escolha múltipla: compreensão do texto

1. **A Catarina não vê a Rute**
   a. há dois meses e meio.
   b. há três meses.
   c. há dois meses.

2. **A Catarina está em Londres para**
   a. trabalhar.
   b. estudar.
   c. fazer férias.

3. **Ao domingo ela toma sempre**
   a. um grande pequeno-almoço.
   b. o pequeno-almoço na cama.
   c. o pequeno-almoço muito cedo.

4. **Os pais da Catarina**
   a. nunca lhe telefonam.
   b. telefonam-lhe frequentemente.
   c. telefonam-lhe todos os dias.

5. **Em Dezembro, a Catarina**
   a. vai viajar pela Inglaterra.
   b. vai passar o Natal com a família.
   c. vai ficar em Londres.

## 12- S i m u l a ç ã o

**Convide um dos seus colegas para um dos seguintes lugares:**

- cinema Monumental / filme português "Tentação" / hoje à noite, às 9:30;

- exposição de pintura / pintores portugueses do século XX / Centro Cultural de Belém / no próximo domingo de manhã.

### E x p r e s s õ e s

| | |
|---|---|
| Queres...? | Óptimo! |
| Acho que... | Está combinado. |
| Não achas que...? | Está? |
| Acho que vale a pena. | O que achas? |
| Também acho que sim. | Há quanto tempo...? |
| Que pena! | Desde quando...? |
| Acho que tens razão. | É verdade! |
| Há muito tempo... | |

## C. Fonética

### O alfabeto

**1-** Ouça novamente as letras do alfabeto e repita-as.

a - b - c - d - e - f - g - h - i - j - k -
l - m - n - o - p - q - r - s - t - u - v -
w - x - y - z

**2-** Como se escreve?

Ouça as seguintes palavras e escreva-as. Depois soletre-as.

| cansado | casado | solteiro | hoje | semana | fácil |
|---------|--------|----------|------|--------|-------|
| alemães | casa | limpo | espectáculo | sábado | |

## 3- Prática fonética

a - O a em português pode ser <u>aberto</u>, quando se encontra numa <u>sílaba tónica</u>, ou pode ser <u>fechado</u>.

Ouça estas palavras com <u>a</u> <u>aberto</u> e repita-as.

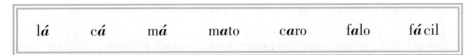

| lá | cá | má | mato | caro | falo | fácil |

b - Ouça agora algumas palavras com <u>a</u> <u>fechado</u> e repita-as.

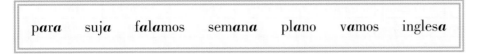

| para | suja | falamos | semana | plano | vamos | inglesa |

c - Agora vai ouvir algumas palavras com os dois sons de <u>a</u>: primeiro <u>aberto</u> e depois <u>fechado</u>.
Ouça-as e repita-as.

| casa | sala | acha | fala | nada | mala | lava |

# APÊNDICE
# GRAMATICAL

## 1    Presente do Indicativo – verbos irregulares

|  | saber | poder | querer | ver | ler | vir | ir |
|---|---|---|---|---|---|---|---|
| eu | *sei* | *posso* | quero | *vejo* | *leio* | *venho* | *vou* |
| tu | sabes | podes | queres | *vês* | *lês* | *vens* | *vais* |
| você/ela/ele | sabe | pode | *quer* | *vê* | *lê* | *vem* | *vai* |
| nós | sabemos | podemos | queremos | vemos | lemos | *vimos* | *vamos* |
| vocês/elas/eles | sabem | podem | querem | *vêem* | *lêem* | *vêm* | *vão* |

## 2    Ir + Infinitivo – Ideia de futuro

*Amanhã / Depois de amanhã / Logo à noite / Na próxima semana*

| Eu | *vou ver* televisão. |
|---|---|
| Tu | *vais jogar* futebol. |
| Você/Ela/Ele | *vai ler* este livro. |
| Nós | *vamos visitar* um amigo. |
| Vocês/Elas/Eles | *vão comprar* um carro. |

## 3    Ter de + Infinitivo – Ideia de obrigação

*Exemplos:*

> Ela **tem de estudar** para o exame.
> Nós **temos de comprar** leite para amanhã.
> Hoje à noite eles **têm de trabalhar.**

## 4

há     – usa-se para um período de tempo

desde – usa-se para o início de um período de tempo

*Exemplos:*

> Hoje é sexta-feira e ela está em Lisboa **desde** segunda-feira de manhã.
>        *ou*
> Ela está em Lisboa **há** cinco dias.

## ⑤ Pronomes pessoais de complemento indirecto

| Pronomes Pessoais | |
| --- | --- |
| **Sujeito** | **Complemento indirecto** |
| eu | *me* |
| tu | *te* |
| você/ela/ele | *lhe* |
| nós | *nos* |
| vocês | *vos* |
| vocês/elas/eles | *lhes* |

*Exemplos:*

Não falo com *a Isabel* há muito tempo.
Vou telefonar-*lhe* hoje à noite.

Amanhã vou estar com **o Tó** e com **a Ana** e vou perguntar-*lhes* se querem ir ao cinema.

## ⑥ Preposições de movimento

**Direcção:**

*a -*  (curta permanência)  Amanhã vou *à* praia.
*para -*  (longa permanência)  Já é tarde. Vou *para* casa.

*Nota:* preposição *a* + artigos definidos

| | | |
| --- | --- | --- |
| *a + a* | = | *à* |
| *a + o* | = | *ao* |
| *a + as* | = | *às* |
| *a + os* | = | *aos* |

**Transportes:**

*de -*  (transporte indeterminado)  Vamos *de* autocarro.
*em -*  (transporte determinado)  Vamos *no* autocarro nº 23.

# Unidade

# 5

# A. Fazer planos para as férias

Ouvir e ler

## 1- O João telefona ao Miguel.

| | |
|---|---|
| **Miguel:** | Está? |
| **João:** | Estou. Miguel? Olá! Sou o João. |
| **Miguel:** | Ah! Olá! Estás em Lisboa? |
| **João:** | Não, estou em Viseu. Só vou ter férias no próximo mês. E tu? Quando é que vais de férias? |
| **Miguel:** | Olha, eu vou no próximo sábado. Já estou a precisar. |
| **João:** | Vais para o Algarve, como é habitual? |
| **Miguel:** | Não, este ano vamos para a praia da ilha de Porto Santo. Tenho um amigo que vai sempre para lá e diz que aquilo é um paraíso: um mar transparente e com uma temperatura muito agradável e uma praia enorme de areia branca. Normalmente alugamos um apartamento no Algarve e costumamos passar lá um mês. Mas este ano vamos duas semanas para a praia de Porto Santo e vamos ficar mais uma semana, na ilha da Madeira, que fica mesmo ao lado. Na ilha da Madeira não vamos à praia, mas temos a piscina do hotel. |
| **João:** | Eu já conheço a Madeira e o Porto Santo e acho que vocês vão adorar! E as crianças vão passar o tempo dentro de água. Mas, assim só tens três semanas de férias. O que é que vais fazer na quarta semana? |
| **Miguel:** | Fica para o Natal. Este ano vou fazer uma semana no Inverno. |
| **João:** | São mesmo umas férias diferentes do habitual. E vão para um apartamento no Porto Santo? |
| **Miguel:** | Não, desta vez vamos ficar num hotel com pensão completa. A Leonor não vai precisar de cozinhar. Ela diz que nunca faz umas férias a sério quando ficamos num apartamento. Assim, vão ser umas férias mais tranquilas para todos. E tu? Para onde vais? |
| **João:** | Ainda não sei bem, mas acho que vou passar duas semanas na praia com os meus pais, em Sesimbra, e depois vou a Praga. |
| **Miguel:** | Hum! Também vai ser interessantíssimo. Mas vais sozinho a Praga? |
| **João:** | Não, a Joana vai comigo. Bom, olha, tenho de ir para uma reunião. Desejo-te umas óptimas férias e depois eu telefono-te e combinamos qualquer coisa. |
| **Miguel:** | Está óptimo. Umas boas férias para ti também. Adeus e beijinhos a todos lá em casa. |
| **João:** | Adeus, Miguel! |

## 2 - Termine as frases com a opção mais adequada.

1. O João está a
   - a. passar férias em Viseu.
   - b. trabalhar em Viseu.
   - c. telefonar de Lisboa.

2. O Miguel
   - a. nunca vai de férias para o Algarve.
   - b. este ano vai de férias para o Algarve.
   - c. costuma ir de férias para o Algarve.

3. O Miguel
   - a. habitualmente aluga um apartamento no Algarve.
   - b. às vezes aluga um apartamento no Algarve
   - c. vai alugar um apartamento no Algarve.

4. Este ano, o Miguel
   - a. vai passar quatro semanas de férias na praia.
   - b. vai passar duas semanas de férias na praia.
   - c. vai passar as férias no campo.

5. Este ano, o João
   - a. vai fazer férias na praia.
   - b. vai fazer férias na cidade.
   - c. vai fazer férias na praia e na cidade.

6. Este ano, o Miguel vai ficar
   - a. num apartamento.
   - b. num hotel.
   - c. num parque de campismo.

7. A praia de Porto Santo fica
   - a. no Algarve.
   - b. perto de Lisboa.
   - c. perto da ilha da Madeira.

8. A estadia no hotel de Porto Santo inclui
   - a. o pequeno-almoço, o almoço e o jantar.
   - b. o pequeno-almoço e o almoço.
   - c. o pequeno-almoço.

9. O Miguel vai de férias
   - a. com a mulher e com os filhos.
   - b. com a namorada.
   - c. com os pais.

10. O Miguel
    - a. vai ver o João antes das férias.
    - b. vai ver o João depois das férias.
    - c. este ano não vai ver o João.

**3-** **1.** Diga algumas características da praia de Porto Santo.

**2.** O que acha que o Miguel e a família vão fazer durante as férias na praia de Porto Santo?

Falar

Algumas destas actividades são possíveis:

- visitar um museu;
- tomar banho;
- apanhar o autocarro;

- brincar com a areia;
- dar mergulhos;
- comer gelados;

- jogar à bola;
- ir às compras;
- apanhar sol.

**4-** Complete o quadro.

Gramática: **verbos irregulares no Presente do Indicativo**

|  | fazer | dizer | trazer |
|---|---|---|---|
| eu |  |  |  |
| ele |  |  |  |

Agora faça frases com as formas verbais.

Eu *faço* _____

   *digo* _____

   *trago* _____

Ele *faz* _____

   *diz* _____

   *traz* _____

**5-** Siga o exemplo:

Gramática: **grau comparativo**

No Verão, os dias são **mais** longos **do que** no Inverno. (longo ≠ curto)
*então*
No Inverno, os dias são **mais** curtos **do que** no Verão.

1. A praia de Porto Santo é **maior do que** a praia de Sesimbra. (grande ≠ pequeno)
   *então*
   _A praia de Sesimbra_ _____

2. Uma viagem para Porto Santo é **mais** cara **do que** para o Algarve. (caro ≠ barato)
   *então*
   _Uma viagem para o Algarve_ _____

3. As férias no hotel são **melhores do que** num apartamento. (bom ≠ mau)
   *então*
   _As férias num apartamento_ _____

**4.** A água na praia de Porto Santo é **mais** quente **do que** em Sesimbra. (quente ≠ frio)

*então*

A água em Sesimbra _____

**5.** Este ano o Miguel vai ter férias **mais** cedo **do que** o João. (cedo ≠ tarde)

*então*

Este ano o João _____

**6- Responda às perguntas como no exemplo.** `Gramática: grau superlativo`
**Atenção às formas irregulares (*grande / enorme*;**
***bom* / *óptimo*; *mau* / *péssimo*; *fácil* / *facílimo*; *difícil* / *dificílimo*).**

*Exemplo:*

> Achas que as minhas férias vão ser interessantes?
> Vão ser interessantíssimas.

**1.** A praia é grande?_____

**2.** Esse hotel é caro?_____

**3.** A água é quente?_____

**4.** A piscina é boa?_____

**5.** A água é limpa?_____

**6.** A comida aqui é má?_____

**7.** É fácil encontrar um apartamento em Porto Santo?_____

**8.** Sesimbra é perto de Lisboa?_____

**7-**

`Vocabulário: estações do ano`

**1. Relacione cada uma das frases da direita com a
estação adequada.**

| | |
|---|---|
| No Inverno | **a.** faz muito calor. |
| | **b.** neva muito. |
| | **c.** chove muito. |
| | **d.** há muitas flores. |
| Na Primavera | **e.** os campos estão verdes. |
| | **f.** está muito frio. |
| | **g.** as folhas caem. |
| | **h.** as pessoas vestem roupas quentes. |
| No Verão | **i.** está vento. |
| | **j.** as folhas das árvores ficam castanhas. |
| | **l.** o sol brilha. |
| | **m.** o céu está cinzento. |
| No Outono | **n.** o céu está azul. |
| | **o.** as pessoas vestem roupas frescas. |

**2.** Qual é a sua estação do ano preferida? Porquê?

Como é o Inverno no seu país?

Em que estação do ano estamos agora?

No Verão está muito calor no seu país?

**3.** Complete as frases com os meses do ano na ordem correcta.

Janeiro     é o **primeiro** mês do ano.
_____ é o **segundo** mês do ano.
_____ é o **terceiro** mês do ano.
_____ é o **quarto** mês do ano.
_____ é o **quinto** mês do ano.
_____ é o **sexto** mês do ano.
_____ é o **sétimo** mês do ano.
_____ é o **oitavo** mês do ano.
_____ é o **nono** mês do ano.
_____ é o **décimo** mês do ano.
_____ é o **décimo primeiro** mês do ano.
_____ é o **décimo segundo** mês do ano.

*Outubro / Agosto*
*Maio / Setembro*
*Março / Fevereiro*
*Novembro / Julho*
*Abril / Dezembro*
*Junho / Janeiro*

**4.** Junte cada mês do ano com uma das afirmações da direita.

| | |
|---|---|
| Em Janeiro | a. estamos no fim da Primavera. |
| Em Fevereiro | b. chove muito. |
| Em Março | c. as folhas caem. |
| Em Abril | d. as pessoas vão à praia. |
| Em Maio | e. os campos estão cheios de flores. |
| Em Junho | f. começam as aulas. |
| Em Julho | g. é o Natal. |
| Em Agosto | h. é normalmente o Carnaval. |
| Em Setembro | i. os dias são mais longos. |
| Em Outubro | j. começa o novo ano. |
| Em Novembro | l. o sol brilha e está calor. |
| Em Dezembro | m. estamos no terceiro mês do ano. |

**5.** Que dia é hoje?

Em que mês estamos?

Quais são as datas especiais / festivas que se celebram no seu país?

O que fazem nessas datas?

`Falar`

**8-** Complete com as formas dos verbos.

`Gramática: verbos irregulares no Presente do Indicativo`

| põe | pomos | pões |
|-----|-------|------|
| põem | ponho | |

| saem | sai | saio |
|------|-----|------|
| saímos | sais | |

**Pôr**

Eu _____ a caneta dentro do estojo.

Tu _____ um casaco mais quente.

Ele _____ a mala no quarto.

Nós _____ a máquina fotográfica no saco.

Eles _____ a roupa na mala.

**Sair (Cair)**

Eu _____ com os meus amigos.

Tu _____ da escola às 18 horas.

Ele _____ de casa cedo.

Nós _____ de Cascais às 8 horas.

Eles _____ da camioneta para tomar café.

## B. Férias e tempo livre

**1-** Leia o texto.

`Ler e compreender`

A escola secundária de Cascais vai organizar pela primeira vez uma viagem à serra da Estrela durante as próximas férias de Natal. Os alunos vão passar alguns dias na neve.

A serra da Estrela fica no norte de Portugal e é o único local no país onde se pode fazer esqui, porque no Inverno neva muito naquela região. As pessoas que vivem em Lisboa e em muitas outras cidades, vilas e aldeias de Portugal nunca têm muitas possibilidades de ver neve. Então, muitos portugueses põem as suas roupas mais quentes e viajam até à serra da Estrela para uns dias diferentes: fazem esqui, fazem bonecos de neve ou atiram bolas de neve uns aos outros.

Os alunos da escola de Cascais vão viajar de camioneta e vão ficar num hotel que tem piscina interior. Vai ser divertido!

**2-** Responda às seguintes perguntas sobre o texto:

`Escrever: compreensão do texto`

1. A escola secundária de Cascais costuma organizar viagens à serra da Estrela nas férias de Natal?

_____

_____

**2.** O que é que os alunos podem fazer na serra da Estrela?

_____

_____

**3.** Como é que os alunos vão para a serra da Estrela?

_____

_____

**4.** É normal nevar em todo o país?

_____

_____

**5.** Porque é que as pessoas põem a sua roupa mais quente quando vão à serra da Estrela?

_____

_____

**3-** **Utilize o seu dicionário e assinale quais as peças de vestuário e o calçado que os alunos _não_ vão levar para a serra da Estrela.**

Vocabulário: vestuário; usar o dicionário

- o cachecol
- o fato de banho
- o gorro
- os calções
- a camisola de lã
- as luvas
- as sandálias
- a t-shirt
- as botas
- as meias de lã
- o vestido de manga curta

- as calças
- os sapatos
- os ténis
- as calças de ganga
- o biquini
- o blusão
- o casaco de malha
- o polo
- a gabardina
- o pijama
- a camisa de dormir

**4-** **Faça perguntas sobre os objectos na aula ou sobre as peças de vestuário das pessoas da aula.**

Vocabulário: as cores; fazer perguntas

*De que cor é / são... ?*

As cores

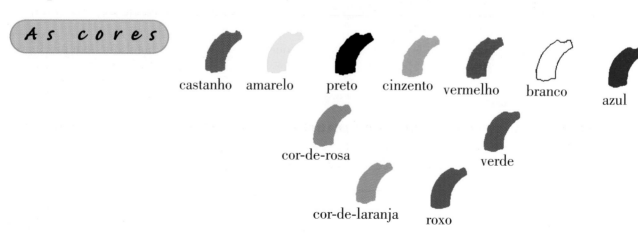

castanho   amarelo   preto   cinzento   vermelho   branco   azul

cor-de-rosa   verde

cor-de-laranja   roxo

**5 -** Vire-se de costas para um colega seu e tente dizer o que ele tem vestido e as cores da roupa. Responda oralmente. Falar

Imagine que estamos no mês de Julho e que vai passar um fim-de--semana à praia de Sesimbra. O que vai levar para vestir ?

**6 -**

**1. Complete com as formas dos verbos *ouvir*, *sair*, *dormir* e *pedir*.** Gramática: **verbos irregulares no Presente do Indicativo**

|     | ouvir | dormir | pedir | sair |
|-----|-------|--------|-------|------|
| eu  |       |        |       |      |

Ao sábado eu _____ até mais tarde; à tarde _____ música e à noite _____ o carro ao meu pai e _____ com os meus amigos.

**2. Responda às perguntas oralmente.** Gramática: **verbos irregulares;** responder oralmente

a. Ouve música no seu tempo livre?

b. Põe o seu carro na garagem?

c. Traz sempre o seu livro para a aula?

d. Faz sempre a cama de manhã?

e. Diz aos seus amigos para onde vai nas férias?

f. Pede dinheiro quando precisa?

g. Dorme até muito tarde nas férias?

h. Sai com a sua família ao fim-de-semana?

i. Prefere passar férias na praia?

j. Veste calções quando está calor?

l. Sabe nadar bem?

m. Lê o jornal todos os dias?

**7 -**

**1. O que fazem os portugueses no tempo livre?** Ler e falar

Nos tempos livres, os portugueses gostam de sair com a família ou com os amigos. Ao fim-de-semana, à noite, os restaurantes e os bares estão sempre cheios. Ao jantar, todos gostam de passar um tempo agradável num restaurante com uma boa comida, enquanto conversam.

No Verão, quando o tempo está bom e faz calor, a praia é um dos locais preferidos. Mas também há pessoas que preferem ir passear pelas vilas e aldeias.

**2.** O que faz você no seu tempo livre?

**8-** Actividades para o tempo livre ou para as férias.

1. Relacione cada figura com uma actividade.

jogar computador

nadar

apanhar sol

andar na montanha

pescar

ir ao restaurante

ver televisão

ir ao cinema

ler

ouvir música

visitar museus

ir para a praia

praticar desporto

conhecer novas cidades

pintar

cozinhar

esquiar

tratar do jardim

jantar fora

fazer campismo

2. Quais são as actividades que gosta de fazer no seu tempo livre?

3. Quais são os planos para as suas próximas férias?

4. Quais são as actividades para o tempo livre mais populares no seu país?

**9-** **Antes de ler os seguintes textos, ouça-os e responda às perguntas oralmente.**

**Depois leia e escreva as respostas.**

1.

A - Olá Marta! Já estás de férias?
B - Ainda não. Tenho férias em Julho.
A - Para onde vais?
B - Vou para a casa dos meus avós, no norte de Portugal. A casa fica perto da praia e tem uma boa piscina. Posso nadar e apanhar sol.
A - Que bom! Boas férias!
B - Obrigada!

a. Quando é que a Marta tem férias?

_____

b. Para onde é que ela vai nas férias?

_____

c. Onde fica a casa dos avós da Marta?

_____

d. O que é que ela vai fazer nas férias?

_____

2.

Eu sou a Kate e sou inglesa, mas estou de férias em Lisboa. Vou conhecer a cidade e vou visitar Sintra e as praias perto de Lisboa. Também gosto muito de dançar. Por isso, à noite vou à discoteca com os meus amigos.

a. A Kate é portuguesa?

_____

b. Onde é que a Kate está de férias?

_____

c. O que é que ela vai fazer durante as férias?

_____

## Expressões

| | |
|---|---|
| Adeus e beijinhos a todos lá em casa. <br> Boas férias! <br> Desejo-te umas óptimas férias. | Para onde é que vais nas férias? <br> Quando é que vais de férias? |

# C. Fonética

**A letra s̲ pode ter diferentes sons.**
**Ouça as seguintes palavras com atenção e depois repita-as.**

| | | |
|---|---|---|
| sapato / sol / sou/ somos / <br> salada / sopa / saia / sei / <br> massa / mousse / cassete / <br> missa / assiste / consiste | casa / coisa / mesa / rosa / <br> casal / caso / museu / <br> casaco / vaso / camisa | castanhos / pasta / azuis / <br> festa / lápis / dois / três / <br> mostro / esqueço / visto / <br> bebes / escuro / os / as |

**1** Presente do Indicativo - verbos irregulares

|  | fazer | dizer | trazer |
|---|---|---|---|
| eu | **faço** | **digo** | **trago** |
| tu | fazes | dizes | trazes |
| você/ela/ele | **faz** | **diz** | **traz** |
| nós | fazemos | dizemos | trazemos |
| vocês/elas/eles | fazem | dizem | trazem |

|  | pedir | ouvir | dormir |
|---|---|---|---|
| eu | **peço** | **ouço** | **durmo** |
| tu | pedes | ouves | dormes |
| você/ela/ele | pede | ouve | dorme |
| nós | pedimos | ouvimos | dormimos |
| vocês/elas/eles | pedem | ouvem | dormem |

|  | sair | cair | pôr |
|---|---|---|---|
| eu | **saio** | **caio** | **ponho** |
| tu | **sais** | **cais** | **pões** |
| você/ela/ele | **sai** | **cai** | **põe** |
| nós | **saímos** | **caímos** | **pomos** |
| vocês/elas/eles | **saem** | **caem** | **põem** |

# APÊNDICE GRAMATICAL

## 2 Pronomes possessivos

|  | Singular | | Plural | |
|  | masculino | feminino | masculino | feminino |
|---|---|---|---|---|
| eu | *o meu* livro | *a minha* casa | *os meus* livros | *as minhas* casas |
| tu | *o teu* amigo | *a tua* amiga | *os teus* amigos | *as tuas* amigas |
| você | *o seu* casaco | *a sua* camisa | *os seus* sapatos | *as suas* meias |
| ele | *o* colega *dele* | *a* colega *dele* | *os* colegas *dele* | *as* colegas *dele* |
| ela | *o* quarto *dela* | *a* sala *dela* | *os* sofás *dela* | *as* plantas *dela* |
| nós | *o nosso* escritório | *a nossa* sala | *os nossos* quartos | *as nossas* salas |
| vocês | *o vosso* jardim | *a vossa* piscina | *os vossos* carros | *as vossas* plantas |
| eles | *o* trabalho *deles* | *a* directora *deles* | *os* trabalhos *deles* | *as* cadeiras *deles* |
| elas | *o* hotel *delas* | *a* viagem *delas* | *os* bilhetes *delas* | *as* malas *delas* |

## 3 Preposições de tempo

meses do ano:

| *em* | *Em* Janeiro está muito frio. |

estações do ano:

| *em* | *No* Inverno os dias são curtos. |
| | *Na* Primavera os campos estão verdes. |
| | *No* Verão as praias estão cheias. |
| | *No* Outono as folhas caem. |

épocas festivas:

| *em* | *No* Natal as pessoas oferecem presentes. |
| | *Na* Páscoa os alunos têm férias. |
| | *No* Carnaval há uma grande festa no Brasil. |

## 4 Preposição *com* + Pronome pessoal

| com + eu | *comigo* |
| com + tu | *contigo* |
| com + você | *consigo* |
| com + ela | com ela |
| com + ele | com ele |
| com + nós | *connosco* |
| com + vocês | com vocês |
| com + os senhores/as senhoras | *convosco* |
| com + elas | com elas |
| com + eles | com eles |

**Graus dos Adjectivos**

## Comparativo de superioridade:

| *mais ... (do) que...* | O livro é ***mais*** interessante ***do que*** o filme. |
|---|---|
| Irregulares:<br><br>**bom**<br>**mau**<br>**grande** | Exemplos:<br><br>O teu quarto é ***melhor do que*** o meu.<br>Esta sopa é ***pior do que*** a de ontem.<br>A casa deles ***é maior do que*** a nossa. |

## Superlativo absoluto sintético:

| *muito caro = caríssimo* | Este apartamento é ***caríssimo.*** |
|---|---|
| Irregulares:<br><br>bom _____ ***óptimo***<br>mau _____ ***péssimo***<br>grande _____ ***enorme***<br>difícil _____ ***dificílimo***<br>fácil _____ ***facílimo*** | Este filme é ***óptimo.***<br>Este restaurante é ***péssimo.***<br>A tua casa é ***enorme.***<br>Este texto é ***dificílimo.***<br>As perguntas sobre o texto são ***facílimas.*** |

# Unidade 6

# A. Ir ao médico

## 1- Leia o diálogo antes de o ouvir.

No consultório:

- Boa tarde, Sra. Doutora.
- Boa tarde. Sente-se. Então, o que se passa?
- Olhe, Sra. Doutora, venho aqui porque me sinto muito cansado, doem-me as pernas e, às vezes, dói-me o peito. Eu acho que não é nada de especial, mas a minha mulher está sempre a dizer que tenho de consultar o médico e...
- E ela tem razão. Há quanto tempo é que não vem à consulta?
- Há mais de cinco anos, talvez...
- Bem, deixe-me auscultar e vamos medir a sua tensão arterial.

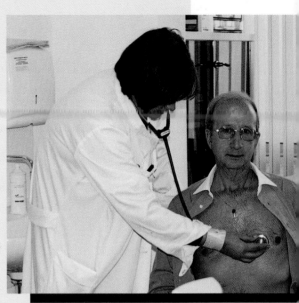

Algum tempo depois...

- A sua tensão está muito alta, Sr. Oliveira. E o seu coração precisa de um exame maior. Quanto é que o senhor pesa?
- Uns 90 Kg., acho eu.
- Pois é! O senhor está muito gordo. Precisa de emagrecer e principalmente de ter muito cuidado com o que come e com o que bebe. Bom, mas primeiro vai fazer estes exames. Faça estas análises e um electrocardiograma. Temos de ver como está esse coração.
- Acha que posso ter algum problema de coração?
- Não sei. Temos de esperar pelos resultados do exame e das análises. Mas, entretanto, Sr. Oliveira, não coma gorduras nem doces, não beba bebidas alcoólicas e faça exercício: ande todos os dias um pouco a pé.
- Bem, eu ao domingo dou sempre um passeio a pé com a minha mulher.
- Mas não pode ser só ao domingo. Tem de andar a pé mais vezes.

## 2- Responda e faça perguntas sobre o diálogo.

1. O Sr. Oliveira vai ao médico de manhã?

   _____ .

2. Quais são os sintomas do Sr. Oliveira?

   _____ .

3. _____ .

   Há mais de cinco anos.

4. _____ .

Primeiro, a médica ausculta o Sr. Oliveira e mede-lhe a tensão arterial.

5. A médica acha que o Sr. Oliveira tem um bom peso?

_____ .

6. Quais são os exames que o Sr. Oliveira tem de fazer?

_____ .

7. Quais são os cuidados que o Sr. Oliveira deve ter?

_____ .

**3 - Siga o exemplo e preencha os espaços com a indicação correcta.**

Vocabulário: especialidades médicas

oftalmologista / cardiologista / ortopedista / ginecologista / dentista
pediatra / **otorrinolaringologista** / dermatologista / neurologista

| | |
|---|---|
| **Otorrinolaringologista** | é o médico que trata as doenças relacionadas com ouvidos, nariz e garganta. |
| _____ | é o médico que trata das crianças. |
| _____ | é o médico que trata as doenças que se relacionam com o sistema nervoso. |
| _____ | é o médico que trata das doenças específicas das senhoras. |
| _____ | é o médico que trata dos olhos. |
| _____ | é o médico que trata dos dentes. |
| _____ | é o médico que trata das doenças relacionadas com os ossos. |
| _____ | é o médico que trata das doenças da pele. |
| _____ | é o médico que trata das doenças do coração. |

**4 -**

Gramática: **doer** no
**Presente do Indicativo**

**1. Repare no verbo *doer* no diálogo.**

> ... ***doem***-me as pernas.
> ... ***dói***-me o peito.

**Agora complete com o verbo *doer*:**

| | | | |
|---|---|---|---|
| _____ | -me o pé direito. | _____ | -me as pernas. |
| _____ | -lhe os ouvidos? | _____ | -nos os dentes. |
| _____ | -te a cabeça? | _____ | -lhe a garganta? |

**2. Complete as frases com as formas do verbo *dar*:** | Gramática: verbo **dar** |
**dão, dou, dá, dás, damos.**

### Presente do Indicativo
#### dar

| | | |
|---|---|---|
| Eu | _____ | um passeio a pé. |
| Tu | _____ | a sopa ao teu filho. |
| Ela | _____ | erros no ditado. |
| Nós | _____ | uma festa amanhã. |
| Eles | _____ | um passeio de bicicleta. |

**5- Repare como se forma o *Imperativo* dos** | Gramática: **forma Imperativa** |
**verbos.**

| Presente do Indicativo | IMPERATIVO | | |
|---|---|---|---|
| (1ª pessoa do singular) | **tu** (neg) | **você** | **vocês** |
| - **ar** → eu fal~~o~~ | Não fal**es**! | Fal**e**! | Fal**em**! |
| - **er** → eu com~~o~~ | Não com**as**! | Com**a**! | Com**am**! |
| - **ir** → eu abr~~o~~ | Não abr**as**! | Abr**a**! | Abr**am**! |

**1. Agora complete:**

| Infinitivo | Presente do Indicativo | Imperativo |
|---|---|---|
| pag**ar** | eu _____ | (você) _____ |
| and**ar** | eu _____ | _____ |
| traz**er** | eu _____ | _____ |
| faz**er** | eu _____ | _____ |
| compreend**er** | eu _____ | _____ |
| diz**er** | eu _____ | _____ |
| v**er** | eu _____ | _____ |
| l**er** | eu _____ | _____ |
| vest**ir** | eu _____ | _____ |
| v**ir** | eu _____ | _____ |
| pôr (=-er / -ir) | eu _____ | _____ |
| ouv**ir** | eu _____ | _____ |
| dorm**ir** | eu _____ | _____ |
| t**er** | eu _____ | _____ |

**2.** No final da consulta do Sr. Oliveira, o médico dá-lhe um folheto com alguns conselhos para proteger o coração. Mas neste folheto faltam os verbos. Complete os conselhos do folheto, conjugando os verbos na *forma imperativa (você)*.

Gramática: completar folheto com **forma Imperativa**

## POR UM CORAÇÃO SAUDÁVEL

*(Andar)* _____ mais a pé. O seu coração precisa de exercício. Não *(correr)* _____, mas *(caminhar)* _____ todos os dias um pouco. Não *(fumar)* _____, nem *(comer)* _____ gorduras. Não *(beber)* _____ bebidas alcoólicas.

*(Fazer)* _____ exercício. *(Andar)* _____ de bicicleta. *(Nadar)* _____, *(dançar)* _____ e *(subir)* _____ e *(descer)* _____ escadas. *(Fazer)* _____ exercício, mas com cuidado e moderação. Não *(ter)* _____ stress, nem *(engordar)* _____.

*(Ter)* _____ cuidado com a sua saúde. *(Procurar)* _____ umas férias tranquilas. *(Respirar)* _____ o ar puro do campo e *(fazer)* _____ exames médicos periódicos.

**3.** Agora complete o quadro como o exemplo.

| Infinitivo | Presente do Indicativo (ele) | Imperativo tu (afirmativo) = 3ª pessoa do singular Pres. Ind. |
|---|---|---|
| falar | Ele fala. | (tu) Fala! |
| comer | | |
| beber | | |
| pôr | | |
| trazer | | |
| fazer | | |
| dizer | | |
| vestir | | |
| jogar | | |
| treinar | | |
| ver | | |
| ler | | |
| ir | | |
| dormir | | |
| sair | | |
| pedir | | |

**6** - Vamos usar a forma *Imperativa*.

Usar a **forma Imperativa**

1. Agora imagine que está a falar com um amigo seu que tem problemas de coração. Leia-lhe os conselhos do folheto sobre um coração saudável, mas use a forma "tu".

2. Procure agora as formas de *Imperativo* no diálogo entre o médico e o Sr. Oliveira no consultório e sublinhe-as.

3. Agora imagine os conselhos que a mulher do Sr. Oliveira lhe vai dar depois da consulta.

**7-**

**Coloque o vocabulário dos quadros nos locais correctos do corpo e da cabeça.**

Alex 99

| olho | nariz | orelha | cabelo |
|------|-------|--------|--------|
| testa | boca | dentes | |
| sobrancelha | cara | queixo | |

| pescoço | ombros | braço | mão |
|---------|--------|-------|-----|
| dedos | pé | perna | cotovelo |
| barriga | peito | costas | |
| joelho | estômago | | |

## B. Vamos às compras!

**1-** Ouça e leia os seguintes diálogos.

Utilize o vocabulário dos quadros para simular novos diálogos.

### 1. Nos correios

| V O C A B U L Á R I O | |
|---|---|
| o selo | por avião |
| a carta | telegrama |
| o envelope | enviar |
| a encomenda | levantar |
| correio normal | carta registada |
| correio azul | vale postal |
| mandar um fax | cartão para telefonar |

- Boa tarde.
- Boa tarde. Olhe, queria um selo para os Estados Unidos.
- Aqui está.
- Agora queria enviar esta carta em correio azul.
- Muito bem. Mais alguma coisa?
- Não. É tudo. Quanto é?

### 2. No banco

| V O C A B U L Á R I O | | |
|---|---|---|
| abrir uma conta | - à ordem | preencher um - impresso |
| | - a prazo | - talão de depósito |
| levantar ≠ depositar | | assinar |
| | - um cheque | a assinatura |
| | - dinheiro | o cartão de crédito |
| | | passar um cheque |
| trocar dinheiro | | comprar cheques de viagem |
| cambiar dinheiro | | |

- Muito bom dia. Faça o favor de dizer.
- Bom dia. Queria abrir uma conta à ordem, por favor.
- Com certeza. Tem o seu bilhete de identidade?
- Sim, tenho. Está aqui.
- Então, preencha este impresso e depois assine aqui em baixo, se não se importa.

## 3. Na loja de roupa

### V O C A B U L Á R I O

| | |
|---|---|
| o gabinete de provas | trocar |
| experimentar | o tamanho / o número |
| arranjar | Posso ver? |
| fazer as baínhas | Posso experimentar? |
| encurtar as mangas | tecido de algodão / de fazenda / de lã |

- Boa tarde. Posso ajudar?
- Sim, queria umas calças destas, mas azuis.
- Qual é o seu número?
- É o 38.
- 38... Ah! Aqui tem estas.
- Quanto custam essas?
- Deixe-me ver. Sim, está aqui o preço. São 62 euros.
- E aquelas ali?
- Aquelas são mais baratas.
- Então, posso experimentar as duas?
- Com certeza. Pode experimentar naquele gabinete ali à direita.

**2 - Ouça os seguintes diálogos antes de os ler e diga onde se passam.**

Compreensão oral

| | |
|---|---|
| Diálogo 1 | a) Na farmácia |
| Diálogo 2 | b) Na loja de roupa |
| Diálogo 3 | c) No banco |
| Diálogo 4 | d) Nos correios |
| Diálogo 5 | e) No hotel |
| Diálogo 6 | f) Na papelaria |

### Diálogo 1

- Boa tarde. Faça favor.
- Boa tarde. Olhe, queria um quarto para uma noite.
- De casal ou individual?
- De casal e com pequeno--almoço incluído.
- Com certeza. Ficam no quarto nº 504, no 5º andar. Aqui tem a chave.

### Diálogo 2

- Bom dia.
- Bom dia.
- Queria uma borracha e um lápis nº 3, por favor.
- É tudo?
- Sim. Ah, não. Também queria esta revista. Quanto é tudo?

### Diálogo 3

- Boa tarde. Queria levantar este cheque.
- Tem o seu bilhete de identidade?
- Sim. Aqui está.
- Obrigado.

### Diálogo 4

- Bom dia.
- Bom dia. Tem uma camisa igual a esta, mas cor-de rosa?
- Qual é o tamanho?
- O médio.
- Não, em cor-de-rosa já não temos. Só em azul.
- Humm… não. Em azul não quero. Bem, obrigada e bom dia.
- Obrigada eu.

### Diálogo 5

- Boa tarde.
- Boa tarde. Queria uma caixa de aspirinas e umas pastilhas para a tosse, por favor.
- Mais alguma coisa?
- Não, é tudo. Quanto é?

### Diálogo 6

- Bom dia.
- Bom dia.
- Queria levantar esta encomenda.
- Tem o seu bilhete de identidade?
- Sim. Aqui tem. Queria também um selo para a Europa.

## 3- A família

Vocabulário: a família

A família e as relações familiares são muito importantes para os portugueses.

| o avô | o neto | o pai | o filho | o primo | a cunhada |

a avó — a mãe — a filha — a prima — a tia — a sogra

a mulher — a neta — o irmão — a nora — a irmã — o marido

o genro — o sobrinho — o tio — o cunhado — o sogro — a sobrinha

**Complete as frases com os parentescos.**

O Sr. António é _____ da Isabel e da Paula.

A D. Glória é _____ da Isabel e da Paula.

O Sr. António é _____ da Susana, do Mário e do Rui.

A D. Glória é _____ da Susana, do Mário e do Rui.

A Paula é _____ do Artur.

O José é _____ da Isabel.

A Paula e o Artur são _____ do Rui.

O José e a Isabel são _____ do Rui.

O Sr. António e a D. Glória são _____ do Rui, da Susana e do Mário.

O Rui, o Mário e a Susana são _____ do Sr. António e da D. Glória.

O Rui é _____ da Susana e do Mário.

A Susana e o Mário são _____ da Paula e do Artur.

O José é _____ da Paula.

O Sr. António é _____ do José e do Artur.

O Artur e o José são _____ do Sr. António e da D. Glória.

A Susana é _____ do Mário.

**4-** ‹ *Descrições Físicas* ›    Vocabulário: descrição física

### D E S C R I Ç Õ E S   F Í S I C A S

| ter cabelo | louro | ter | barba | ter | franja | |
| | escuro | | bigode | | risca | ao meio |
| | ruivo | | | | | ao lado |
| | castanho | | | | | |
| | branco | | | | | |
| | grisalho | | | | | |

| ter cabelo | liso | ser | careca | | | |
| | ondulado | | | ser | magro | |
| | encaracolado | | | | gordo | |
| | | | | | alto | |
| | | | | | baixo | |
| ter cabelo | curto | usar | óculos | | velho | |
| | comprido | | | | novo | |

**1.** Seleccione uma personagem da imagem. Escreva o nome dela e descreva-a para ver se os seus colegas descobrem qual é.

Falar

**2.** Seleccione uma personagem da imagem e escreva o nome dela. Agora são os seus colegas que lhe fazem perguntas sobre as características físicas e sobre o que está a fazer. Você só pode responder com *sim* ou *não*.

**5-** ## Descrição de carácter

Vocabulário: descrição do carácter

### D E S C R I Ç Ã O   D E   C A R Á C T E R

| ser | organizado | tímido | gastador |
| | trabalhador | introvertido | poupado |
| | desarrumado | extrovertido | indeciso |
| | teimoso | comunicativo | activo |
| | simpático | sociável | decidido |
| | antipático | falador | indolente |
| | arrogante | calado | calmo |

Agora descreva uma pessoa da sua família ou um amigo seu. Não se esqueça de referir os seguintes aspectos:

Falar

　a. nome, profissão, idade;

　b. características físicas;

　c. características de carácter;

　d. passatempos e preferências.

**6**- Tome atenção às seguintes frases com _para_ e _por_.   Gramática: **para / por**

| para | por |
|---|---|
| 1. Este autocarro vai **para** o Porto. | 1. Este autocarro passa **pela** minha rua. |
| 2. Toma! Este livro é **para** ti. | 2. Fico em Lisboa **por** duas semanas. |
| 3. Eu estou em Portugal **para** aprender português. | 3. Vendo-te a minha bicicleta **por** 150 euros. |
| 4. **Para** quando é que precisa do carro pronto? | 4. Ela hoje não vem à reunião **por** estar doente. |
| 5. **Para** mim, esta camisola é mais bonita. | 5. Amanhã só devo chegar **pelas** 10 horas. |

**Faça mais frases com as duas preposições.**

_____
_____
_____
_____
_____
_____
_____
_____
_____

## Expressões

| | |
|---|---|
| Então, o que se passa? | Posso ajudar? |
| Ela tem razão. | Quanto custam? |
| Pois é! | Mais alguma coisa? |
| Acha que…? | É tudo? |
| Não sei. | Quanto é tudo? |
| Posso ver? | Qual é o tamanho? |
| Posso experimentar? | As melhoras! |

# C. Fonética

A letra <u>z</u> pode ter dois sons diferentes.
**Ouça as seguintes palavras e repita-as.**

| | |
|---|---|
| zona / fazem / dizem / zangado / dizemos / zebra / fazemos / trazemos | faz / traz / rapaz / capaz / diz / satisfaz / cartaz / vez / voz /nariz |

# APÊNDICE GRAMATICAL

## 1 Presente do Indicativo - verbos irregulares

|  | **dar** |
|---|---|
| eu | *dou* |
| tu | *dás* |
| você/ela/ele | *dá* |
| nós | *damos* |
| vocês/elas/eles | *dão* |

|  | **doer** |  |
|---|---|---|
| *dói* | ***Dói**-me a cabeça* |
| *doem* | ***Doem**-lhe os dentes* |

## 2 Imperativo – verbos regulares

Usa-se para *ordens, pedidos ou instruções*.

| Presente do Indicativo (1ª pessoa do singular) | IMPERATIVO | | |
|---|---|---|---|
|  | tu (neg.) | você | vocês |
| - **ar** → eu fal~~o~~ | Não fal**es**! | Fal**e**! | Fal**em**! |
| - **er** → eu com~~o~~ | Não com**as**! | Com**a**! | Com**am**! |
| - **ir** → eu abr~~o~~ | Não abr**as**! | Abr**a**! | Abr**am**! |

| Presente do Indicativo (3ª pessoa do singular) | IMPERATIVO tu (afirmativo) |
|---|---|
| - **ar** → ela/ele fal**a** | Fal**a**! |
| - **er** → ela/ele come | Com**e**! |
| - **ir** → ela/ele abre | Abr**e**! |

## 3 Pronomes demonstrativos - variáveis

|  | Singular | | Plural | |
|---|---|---|---|---|
|  | **masculino** | **feminino** | **masculino** | **feminino** |
| **aqui** | este | esta | estes | estas |
| **aí** | esse | essa | esses | essas |
| **ali** | aquele | aquela | aqueles | aquelas |

### Precisar de / Dever

| precisar de | . necessidade | **Preciso de ir** ao supermercado. |
| --- | --- | --- |
| dever | . obrigação moral | **Devemos** ajudar os outros. |
| | . conselhos | **Deves** comer mais fruta. |
| | . probabilidade | Hoje não **deve** chover. |
| | . dívidas | **Devo** algum dinheiro ao meu pai. |

 ### para / por

| para | por |
| --- | --- |
| **. direcção/ destino**<br>Este autocarro vai **para** o Porto. | **. caminho**<br>Este autocarro passa **pela** minha casa. |
| **. objectivo**<br>Eu estou em Portugal **para** aprender português. | **. motivo/justificação**<br>Ela não vem à reunião **por** estar doente. |
| **. data limite**<br>**Para** quando é que precisa do carro pronto? | **. período de tempo**<br>Fico em Lisboa **por** duas semanas. |
| **. opinião**<br>**Para** mim, esta camisola é mais bonita. | **. tempo aproximado**<br>Amanhã devo chegar **pelas** 10 horas. |
| | **. troca/ dinheiro**<br>Vendo-te a minha bicicleta **por** 150 euros. |

# UNIDADE DE REVISÃO 2

1. Complete as frases com os verbos: <u>saber</u>, <u>poder</u>, <u>conseguir</u> e <u>conhecer</u>.

   1. Eu _____ a cidade do Porto muito bem.

   2. Hoje à noite eu não _____ sair, porque tenho de preparar um relatório para amanhã.

   3. Desculpe, mas o senhor não _____ estacionar aqui. É proibido.

   4. - (Tu) _____ andar de bicicleta?

      - _____, mas não _____ andar durante 1 hora como tu.

   5. Desculpe, _____ dizer-me as horas, por favor?

   6. Nós ainda não _____ compreender o noticiário na televisão.

   7. - _____ sentar-me nesta cadeira?

      - Claro. Sente-se.

   8. Nós ainda não _____ a nova professora de português.

   9. -Ela _____ nadar muito bem. Não achas?

      -Acho. Com mais treino, acho que ela vai _____ ir aos Jogos Olímpicos.

  10. (Tu) _____ algum livro sobre o vinho português ?

2. Responda às perguntas, utilizando os pronomes possessivos e os pronomes demonstrativos adequados.

*Exemplo:*

   De quem é essa cerveja? (eu)
   ***Esta*** cerveja é ***minha.***

1.   De quem são estes óculos? (eu)

   _____ .

2.   De quem é esse cartão? (ele)

   _____ .

3.   De quem é aquela garrafa de vinho? (vocês)

   _____ .

4.   De quem são estes impressos? (o senhor)

   _____ .

5.   De quem é esta cadeira? (tu)

   _____ .

6. De quem é aquele carro? (eles)

_____ .

7. De quem são essas revistas? (eu)

_____ .


3. Seleccione a resposta adequada para cada pergunta.

1. Então como se sente?

2. Faça o favor de dizer.

3. Como é a tua directora?

4. Bom dia, queria abrir uma conta à ordem.

5. Os sapatos naquela sapataria são caros?

6. Qual é o empregado desta mesa?

7. Queria uma camisola destas, mas não tem uma maior?

8. Deseja mais alguma coisa?

9. Logo não posso ir com vocês ao cinema.

10. Vou almoçar. Volto às 14 horas.

a. Então, até logo.

b. É muito simpática.

c. Não, é tudo.

d. Olhe, queria este jornal e aquela revista.

e. Não, não tenho.

f. Que pena!

g. Com certeza. Pode preencher este impresso, por favor?

h. Estou melhor, obrigado.

i. É aquele ali, baixo e louro.

j. Não, são baratos.


4. Junte A + B e forme frases.

| A | B |
|---|---|
| 1. No Inverno | a) há muito tempo. |
| 2. Quando está frio, | b) é mais quente do que na Inglaterra. |
| 3. O Verão em Portugal | c) vou estudar para a Alemanha. |
| 4. No próximo mês de Setembro | d) já está ocupada? |
| 5. Ao fim-de-semana | e) chove muito. |
| 6. Esta mesa | f) duas bicas, por favor. |
| 7. Queria | g) jogo sempre ténis com a minha colega. |
| 8. Eu já estudo português | h) conta, por favor. |
| 9. Traga-me a | i) visto sempre roupa quente. |

5. Faça perguntas sobre as partes sublinhadas.

1. <u>No sábado</u> ele vai <u>à praia</u> <u>com os colegas.</u>
   a)_____?
   b)_____?
   c)_____?

2. Ela mora <u>no Porto</u> <u>há 3 anos e meio.</u>
   a)_____?
   b)_____?

3. <u>Os empregados da livraria</u> estão a arrumar <u>os livros</u> <u>nas prateleiras.</u>
   a)_____?
   b)_____?
   c)_____?

4. Nós vamos <u>para a escola</u> <u>todos os dias</u> <u>de bicicleta.</u>
   a)_____?
   b)_____?
   c)_____?

5. Dói-me <u>a cabeça.</u>
   a)_____?

6. No Natal <u>os meus tios</u> dão-me sempre <u>um livro.</u>
   a)_____?
   b)_____?


6. Siga o exemplo.

Esta camisola é muito cara.
Não tem outra ***mais barata?***

1. Estas calças são muito pequenas.
   Não tem _____?

2. Este artigo é muito difícil de compreender.
   Não tem _____?

3. Dizem que este filme é muito mau.
   Não queres ir ver _____?

4. Este quarto é muito escuro?
   Não tem _____?

5. Essa praia é muito longe.
   Não queres ir para _____?

114

7. Escreva uma palavra ou expressão <u>equivalente.</u>

tomar uma bica    = _____

muito difícil    = _____

muito grande    = _____

morar    = _____

estou com (frio)    = _____

muito bom    = _____

muito mau    = _____

regressar    = _____

8. Escreva a palavra <u>contrária</u> e faça uma frase.

abrir    ≠ _____    _____

sujar    ≠ _____    _____

ir    ≠ _____    _____

sair    ≠ _____    _____

levar    ≠ _____    _____

empurrar    ≠ _____    _____

9. Complete o quadro.

| Verbo | Substantivo | Adjectivo |
|---|---|---|
|  |  | descansado |
|  |  | trabalhador |
|  | a limpeza |  |
|  |  | compreensível |
|  |  | chuvoso |
|  | a arrumação |  |
| engordar |  |  |
| diferençar |  |  |
|  |  | cozinhado |

10. Com cada um destes verbos, uma das expressões <u>não</u> pode ser usada. Assinale-a.

a) tomar    -um duche
            -uma sandes
            -uma bica
            -um comprimido

b) abrir    -a porta
            -uma conta
            -a janela
            -os óculos

c) ver      -um espectáculo
            -televisão
            -uma música
            -um filme

d) fazer    -exercício
            -pesca
            -ginástica
            -campismo

e) tirar    -fotografias
            -os óculos
            -o avião
            -o casaco

f) apanhar  -gripe
            -o metro
            -fruta
            -a porta

g) pôr      -o chapéu-de-chuva
            -o cachecol
            -os óculos
            -o casaco

# Unidade 7

# A. Aconselhar

Ler e ouvir

**1-** O Joseph é um inglês que está em Lisboa a estudar português e cultura portuguesa. Hoje é sexta-feira e ele está a falar com um amigo português perto da escola.

**Joseph:** Ufa! Ainda bem que hoje é sexta-feira.

**Amigo:** É verdade! Então, o que vais fazer no próximo fim-de-semana?

**Joseph:** Olha, hoje ao fim da tarde chega um amigo meu inglês que vem passar uns dias comigo e estou a pensar em ir com ele a Évora no fim-de-semana. O que é que achas?

**Amigo:** Acho uma óptima ideia. Évora é uma cidade muito bonita e interessante. Tenho a certeza de que vocês vão gostar.

**Joseph:** Não queres vir connosco?

**Amigo:** Não posso. Vocês têm de ir sem mim. Tenho um trabalho para fazer.

**Joseph:** Que pena! Olha, como é que achas que devemos ir? De camioneta?

**Amigo:** Não. Aluguem um carro e vão pela auto-estrada.

**Joseph:** Auto-estrada? Há uma auto-estrada para Évora?

**Amigo:** Sim. Saiam cedo de Lisboa e vão pela ponte Vasco da Gama. Acho que o teu amigo vai gostar.

**Joseph:** Sim, é uma ponte muito bonita! E depois? Não é complicado orientar-me?

**Amigo:** Claro que não! Segues as indicações. Não penses que te vais perder. Saiam é cedo de casa e estejam em Évora antes das 10:00 porque têm de aproveitar bem o fim-de-semana.

**Joseph:** E o que é que eu devo visitar em Évora?

**Amigo:** Olha, em Évora vai a um posto de turismo e pede o mapa da cidade. Vocês têm lá muitas coisas para visitar. Logo à noite eu telefono-te e dou-te a morada de um hotel onde costumo ficar quando lá vou: é limpo, central e não é caro.

**Joseph:** Óptimo!

**Amigo:** Olha! Agora estou é cheio de fome. Não queres vir almoçar? Falamos durante o almoço.

**Joseph:** Vamos embora!

**2 -** Numere as seguintes frases, colocando-as na ordem correcta, de modo a ficar com um resumo do texto.

___ Ele está a pensar em ir a Évora.

___ Vão pela ponte Vasco da Gama e depois pela auto-estrada.

___ Hoje é sexta-feira e um amigo inglês vem passar uns dias com ele.

___ O amigo também acha que Évora é uma cidade bonita.

___ O Joseph é inglês, mas está a estudar em Lisboa.

___ Ele e o amigo vão alugar um carro.

___ Eles vão ficar num hotel que o amigo dele conhece.

___ Eles têm de chegar cedo a Évora e lá vão a um posto de turismo e vão pedir um mapa da cidade.

**3 -** Faça perguntas para as seguintes respostas.

1. _____ ?

Hoje é sexta-feira.

2. _____ ?

O Joseph vai a Évora com um amigo.

3. _____ ?

Vão sair de Lisboa no sábado bem cedo.

4. _____ ?

Vão no próximo fim-de-semana.

5. _____ ?

Não, vão de carro.

6. _____ ?

Eles vão pela auto-estrada.

**4 -** Complete o quadro.

| Imperativo Verbos Irregulares | | | |
|---|---|---|---|
| | *tu* (negativa) | *você* | *vocês* |
| *ser* | não | seja | |
| *estar* | não estejas | | |
| *ir* | não | vá | |
| *dar* | não | | dêem |

119

**5-**

**1.** Imagine que um colega seu vai a Évora. Dê-lhe alguns conselhos, usando a *forma imperativa (tu)* dos seguintes verbos:

**a** Levantar-se cedo.

_____ !

**b** Fazer a viagem de manhã cedo.

_____ !

**c** Beber vinho alentejano.

_____ !

**d** Provar comida alentejana.

_____ !

**e** Visitar a Igreja das Mercês.

_____ !

**f** Ver o Templo de Diana.

_____ !

**g** Dar um passeio a pé.

_____ !

**h** Trazer uma garrafa de vinho.

_____ !

**i** Estacionar o carro no parque.

_____ !

**j** Ir visitar a Universidade.

_____ !

**2.** Agora dê os mesmos conselhos a outra pessoa, usando a *forma imperativa* de *você*.

**6-** **Transforme as seguintes perguntas em pedidos. Siga o exemplo.**

Gramática: **forma Imperativa**

*Exemplo:*

> - Dás-me uma garrafa de água?
> - **Dá**-me uma garrafa de água, por favor.

1. Dizes-me as horas?

   _____

2. Telefona ao seu amigo?

   _____

3. Traz-me uma coca-cola?

   _____

4. Pedem-lhe as informações?

   _____

5. Pões-me água no copo?

   _____

6. Levas-lhes o mapa?

   _____

7. Perguntas o caminho àquele senhor?

   _____

8. Mostras-me a cidade?

   _____

9. Fazes-me um favor?

   _____

10. Estão à porta da minha casa cedo?

    _____

11. Dás o teu mapa ao Joseph?

    _____

12. Vão buscar-me às oito horas?

    _____

## B. Direcções e instruções
## 1-          Mapa do Metro de Lisboa

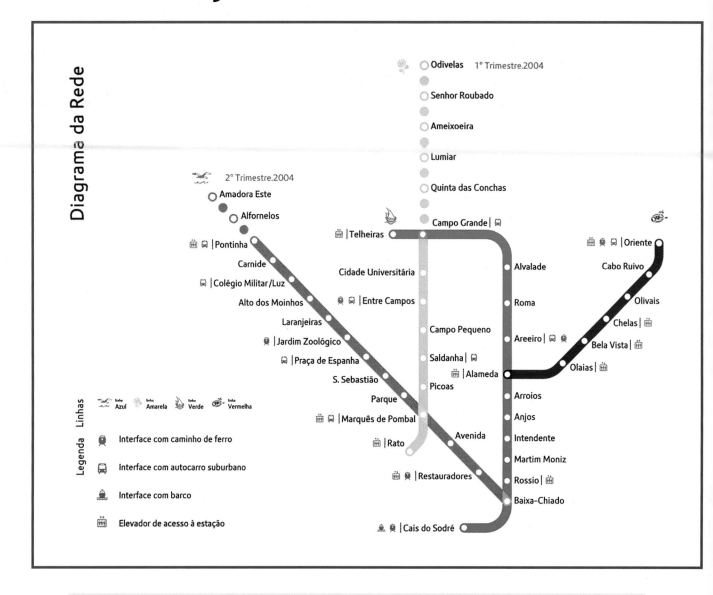

Este é o mapa do **Metropolitano de Lisboa.** Como vê, existem 4 linhas assinaladas com cores diferentes.

O ano de 1998 foi muito importante para Lisboa e para os portugueses em geral: foi o ano da **Expo 98**. Desde então, muitos portugueses e estrangeiros vão ao local da Expo 98, que agora se chama **Parque das Nações**. As pessoas que vão de metro têm de sair na **estação do Oriente.**

O Parque das Nações tem um Oceanário onde se podem ver as espécies marinhas que vivem nos cinco oceanos.

Também pode ir assistir a um concerto ou a um acontecimento desportivo no Pavilhão Atlântico ou na Praça Sony.

Mas também, se prefere, pode apenas passear pelas avenidas e pelos jardins, ao longo do rio Tejo, e apreciar a paisagem com a Ponte Vasco da Gama e a sua arquitectura muito especial ou fazer compras no enorme Centro Comercial que também tem o nome do navegador português.

**2-**

**1. Imagine que está na estação de metro do Saldanha** Falar: indicar direcções
**e alguém lhe pergunta como deve ir para o Parque**
**das Nações.**
**Indique-lhe como ir para a estação do Oriente.**
**Pode usar os verbos:** *apanhar, mudar, sair.*

- "Desculpe, eu queria ir para o Parque das Nações. Sabe como é que se vai para lá?"
"Olhe, para o Parque das Nações o senhor tem de sair na estação do Oriente.
Então, _____

_____

_____

_____

_____

_____

**2. Agora imagine que está no Rossio e precisa de ir para o Campo
Grande. Quantas vezes tem de mudar de metro?**

# 3- Mapa de Lisboa

RIO TEJO

A **Fundação Calouste Gulbenkian** fica na praça de Espanha, em Lisboa. A Fundação tem um lindo jardim, uma exposição permanente de arte antiga e um Centro de Arte Moderna, uma sala para congressos e conferências, uma companhia de bailado e uma orquestra. Além disso, tem dois restaurantes/cafetarias muito agradáveis com grandes janelas para os jardins.

| DIRECÇÕES | | | |
|---|---|---|---|
| *seguir* <br> *ir* | em frente | a rua <br> a avenida <br> o cruzamento | |
| *seguir* <br> *ir* | pela rua… <br> pela avenida… | a praça <br> o passeio <br> a passadeira | |
| *cortar* <br> *virar* | na rua … | o semáforo <br> a primeira rua <br> a segunda rua | à direita <br> à esquerda |
| *atravessar* | | | |

**1. Agora olhe para o mapa da cidade de Lisboa.** Imagine que você encontrou uma pessoa na Praça Marquês de Pombal que lhe pergunta o caminho para a Fundação Calouste Gulbenkian.

Falar: indicar direcções

Dê-lhe as instruções sobre o melhor caminho, utilizando a *forma imperativa* de *você*.

- **Sr. X:**  "Desculpe, podia dizer-me onde fica a Fundação Calouste Gulbenkian?"

- **Você:**  "Com certeza. Olhe,

_____

_____

_____

_____ "

_____

**2. Agora imagine outras localizações e direcções.**

Falar: indicar direcções

4-

Évora é uma cidade de origem romana que mais tarde foi ocupada durante 5 séculos por muçulmanos. Podemos, ainda hoje, encontrar as influências destas duas culturas.

No centro da cidade de Évora, que se encontra rodeado por muralhas romanas, há várias igrejas e monumentos para visitar.

O João é um escuteiro de Lisboa. Este fim-de-semana estão a acampar num local perto de Évora. Ele tem 11 anos e pertence aos exploradores. O dirigente dos exploradores divide os jovens em pequenos grupos de 5 elementos para fazer um jogo de pista. Cada grupo (patrulha) recebe um papel com instruções que tem de seguir.

## Mapa de Évora

**1.** Estas são as instruções que o João, que é o guia do seu grupo, tem nas mãos. Leia as instruções e sublinhe as *formas verbais* no *Imperativo*.

Ler e compreender instruções

- *Vão até à Praça de Touros.*
- *Entrem na cidade pela Rua da República que passa pelo jardim.*
- *Vão ao jardim e apanhem uma pedra do chão.*
- *Sigam em frente e cortem à esquerda.*
- *Vão por essa rua sempre em frente.*
- *Estão na praça do Giraldo? Então vão ao café "Arcada".*
- *Peçam uma coca-cola de lata e tragam a lata.*
- *Virem à direita na rua que tem o nome da data do fim da monarquia em Portugal.*
- *Nessa rua, procurem uma porta que tem um ramo de flores nos degraus.*
- *Tirem uma flor e tragam a flor convosco.*
- *Virem à esquerda.*
- *Estão na rua que tem o nome do homem que descobriu o caminho marítimo para a Índia? Então, estão no caminho certo. Aí, vão encontrar um senhor com postais de Évora. Peçam-lhe um.*
- *Agora virem à esquerda, olhem em frente e procurem umas ruínas de um monumento muito, muito antigo.*

**a.** Trace o caminho que o João e os colegas têm de fazer.

**b.** Quantas vezes é que eles têm de parar?

**c.** Quantos objectos é que eles têm de levar com eles? Quais?

**d.** Qual é o ponto de chegada?

**2.** Agora pense num local de partida e num de chegada e indique o caminho a um colega ou ao professor. No final, confirme se ele chega ao local correcto.

Falar: indicar direcções

**5-** *Descreva* a sua cidade. Não se esqueça de referir:

Falar: descrever cidade

- quantos habitantes tem;
- como são as casas típicas;
- se tem monumentos, jardins ...

**6-** Imagine que um colega vai visitar a sua cidade. Dê--lhe alguns conselhos, usando a *forma imperativa*. Refira:

Falar: aconselhar

- a melhor época para visitar a cidade;
- locais a visitar;
- que roupa deve levar;
- onde e o que deve comer.

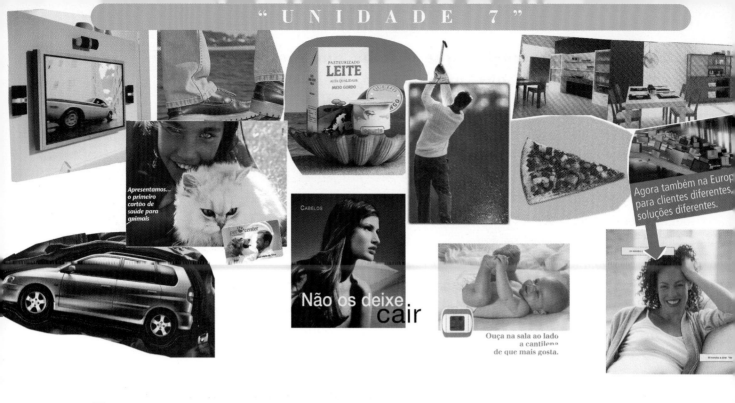

Apresentamos...
o primeiro
cartão de
saúde para
animais

PASTEURIZADO
LEITE
ALTA QUALIDADE
MEIO GORDO

CABELOS

Não os deixe cair

Ouça na sala ao lado
a cantilena
de que mais gosta.

Agora também na Europ
para clientes diferentes,
soluções diferentes.

## 7- As frases abaixo pertencem a <u>anúncios</u> de <u>publicidade</u>. O que é que acha que eles estão a anunciar?

> Companhia de telefone / Banco: crédito à habitação / Ginásio / Compras pela Internet / Companhia aérea / Cartão de crédito / Turismo nacional / Marca de automóvel

1. Prepare o corpo para o Verão. Parta à conquista dos músculos.

2. Descubra a sensação de conduzir na mais perfeita e completa liberdade.

3. Vá às compras com o seu novo cartão e ganhe muitos pontos.

4. Conquiste esta taxa e pague menos pela sua nova casa.

5. Vai de férias? Vá para fora cá dentro.

6. Viaje em segurança. Prefira a nossa companhia.

7. Poupe tempo e dinheiro nas suas deslocações. Não vá.

8. Faça as suas compras em *direct shop* e navegue grátis durante 1 ano.

**Expressões**

| | |
|---|---|
| Ainda bem. | Óptimo! |
| É verdade! | Vamos embora! |
| Acho uma óptima ideia. | Saiam é cedo de casa. |
| E depois? | Agora estou é cheio de fome. |
| Claro que não! | Desculpe, podia dizer-me onde fica... |

# C. Fonética

A letra g tem diferentes leituras, que obrigam a certas regras de escrita.
Leia, por favor:

| | |
|---|---|
| *ga* | *ge* |
| *gue* | *gi* |
| *gui* | |
| *go* | |
| *gu* | |

**Ouça as seguintes palavras e repita-as.**

**A**
*ga*rrafa
*ga*to
pa*ga*r
pa*gue*
*gue*rra
se*gui*ntes
*gui*tarra
*gui*ar
*go*rro
*go*sto
a*go*ra
a*gue*ntar
*gua*rda
*gua*rdar

**B**
*ge*sto
*ge*ntil
a*ge*nda
a*gi*r
rea*gi*r
*gi*rar
re*gi*sto
a*ge*ndar
a*ge*nte

# APÊNDICE GRAMATICAL

**1** ## Imperativo - verbos irregulares

Usa-se para *ordens*, *pedidos* ou *instruções*.

| IMPERATIVO | | | |
|---|---|---|---|
| Verbos Irregulares | | | |
| | tu (negativa) | você | vocês |
| **ser** | *não sejas* | *seja* | *sejam* |
| **estar** | *não estejas* | *esteja* | *estejam* |
| **ir** | *não vás* | *vá* | *vão* |
| **dar** | *não dês* | *dê* | *dêem* |

**2** ## Pronomes indefinidos

**A**

| | Singular | | Plural | |
|---|---|---|---|---|
| | masculino | feminino | masculino | feminino |
| | *nenhum* | *nenhuma* | *nenhuns* | *nenhumas* |
| | *algum* | *alguma* | *alguns* | *algumas* |
| **pessoas** | *muito* | *muita* | *muitos* | *muitas* |
| **ou** | *pouco* | *pouca* | *poucos* | *poucas* |
| **coisas** | *todo* | *toda* | *todos* | *todas* |
| | *outro* | *outra* | *outros* | *outras* |

*Exemplos:*

Esta biblioteca tem *alguns* livros muito interessantes.
Hoje está *muito* calor.
*Não* está *nenhum* aluno na sala.
*Todos* os quartos estão limpos.

**B**

| | Indefinidos Invariáveis | |
|---|---|---|
| pessoas | *alguém* | *ninguém* |
| coisas | *tudo* | *nada* |
| pessoas e coisas | *cada* | |

*Exemplos:*

Neste escritório, *cada* pessoa tem um computador.
Está *alguém* na casa de banho?
Gosto de *tudo* o que esta loja tem.
A esta hora *não* está *ninguém* no escritório.

## Preposições + Pronome pessoal

Depois de uma preposição (*para, por, de, sem...*), alguns pronomes pessoais têm uma forma especial.

| | |
|---|---|
| eu ⟶ | ***mim*** |
| tu ⟶ | ***ti*** |
| você ⟶ | ***si*** |

*Exemplos:*

Este presente é <u>para</u> ***ti***.
Estão a falar <u>de</u> ***mim***?

# Unidade

# 8

# A. Falar sobre tradições

**1-** **O Joseph está com o amigo português à porta da Praça de**
**Touros do Campo Pequeno.**

Ler e ouvir

**Amigo:** Já foste a uma tourada?

**Joseph:** Não, em Portugal nunca fui. Quando estive em Espanha, fui com a minha namorada, mas não achámos muito interessante. Tivemos de sair antes do final da tourada, porque ela ficou bastante impressionada.

**Amigo:** Não, mas olha que em Portugal não é assim. Também é um espectáculo com muita tradição, mas é diferente. Aqui é proibido matar o touro na arena. Em Espanha mataram o touro, não foi?

**Joseph:** Mataram. Para mim, essa foi a parte menos interessante. Como é, então, em Portugal?

**Amigo:** Em Portugal, o toureiro não é tão importante como em Espanha, porque apenas serve para distrair o touro com a capa vermelha. A figura principal é o cavaleiro que tem que ter um cavalo muito bem treinado.

**Joseph:** Então e o touro?

**Amigo:** O cavaleiro tem bandarilhas que tem de espetar no touro.

**Joseph:** Que horror! O touro deve sofrer imenso.

**Amigo:** Há pessoas que dizem que não, mas eu sinceramente acho que sim. Ah! Mas depois disso, vem a parte mais gira: são os forcados.

**Joseph:** Os forcados?

**Amigo:** São eles que fazem a pega. Têm de agarrar e imobilizar o touro. Esta é a parte mais perigosa.

**Joseph:** Sem nada nas mãos? É preciso coragem! E os portugueses gostam de tourada?

**Amigo:** Bem, há muitas opiniões. Muitas pessoas são totalmente contra a tourada, outras são grandes aficionados e há algumas que pensam que o touro devia morrer na arena, em frente do público, como em Espanha.

**Joseph:** Ah! Já vi um ou dois cartazes da Associação Protectora dos Animais contra a tourada.

**Amigo:** Pois é! É uma grande polémica. Mas, afinal, queres ir à tourada, ou não?

**Joseph:** Hum… Não sei. Vou pensar e depois digo-te.

**2 -** **Escolha a melhor alternativa para completar as frases sobre o texto.**

1. A tourada é um espectáculo que existe
   - a) só em Portugal.
   - b) em Portugal e em Espanha.
   - c) só em Espanha.

2. O Joseph
   - a) gostou imenso da tourada que viu em Espanha.
   - b) não gostou muito da tourada que viu na Espanha.
   - c) detestou a tourada que viu em Espanha.

3. Em Portugal
   - a) não podem matar o touro em público.
   - b) podem matar o touro em público.
   - c) matam sempre o touro em público.

4. Em Portugal
   - a) o toureiro é a figura principal.
   - b) o cavaleiro é a figura principal.
   - c) os forcados são as figuras principais.

5. O cavaleiro tem de
   - a) espetar as bandarilhas.
   - b) distrair o touro.
   - c) pegar o touro.

6. Os forcados
   - a) atacam o touro.
   - b) imobilizam o touro.
   - c) distraem o touro.

7. Em Portugal
   - a) todas as pessoas gostam de tourada.
   - b) ninguém gosta de touradas.
   - c) muitas pessoas gostam de touradas.

**3 -**

**Faça perguntas para as seguintes respostas.**

1. _____.
   Estão a falar sobre a tourada.

2. _____.
   O toureiro distrai o touro com uma capa vermelha.

3. _____.

Fazem a pega.

4. _____.

Não, em Portugal é proibido matar o touro.

5. _____.

São as pessoas que gostam muito de tourada.

**4-**                                                          Falar

1. **E você? Já foi a alguma tourada?**

2. **Qual é a sua opinião sobre a tourada?**

3. **No seu país há alguma festa ou espectáculo típico ou tradicional? Explique como é.**

4. **Conhece ou já viu alguma actividade ou espectáculo especial e específico de uma cultura comparável à tourada?**

**5-** Destes 14 argumentos, 8 são *a favor* da tourada e          Selecionar argumentos
7 *são contra*. Coloque-os no local correcto do                   **contra** e *a favor*
quadro.

1. É uma tradição e temos de respeitar e manter as tradições.
2. É um espectáculo que revela o espírito sádico das pessoas.
3. É um espectáculo com muita cor e beleza.
4. As pessoas criticam a tourada, mas depois comem carne.
5. O touro é um animal e os animais também sofrem.
6. Só com os forcados é que o espectáculo é justo.
7. É um espectáculo que testa a coragem do homem.
8. Não podemos conservar todas as tradições.
9. A tourada faz parte da cultura portuguesa.
10. É um espectáculo bárbaro.
11. É um espectáculo justo, porque é tão perigoso para o homem, como para o animal.
12. Todos podemos ver o sangue do touro. Por isso, o touro sofre bastante.
13. O touro é um animal selvagem.
14. Não é um espectáculo justo. O cavaleiro está armado e está em cima de um cavalo.

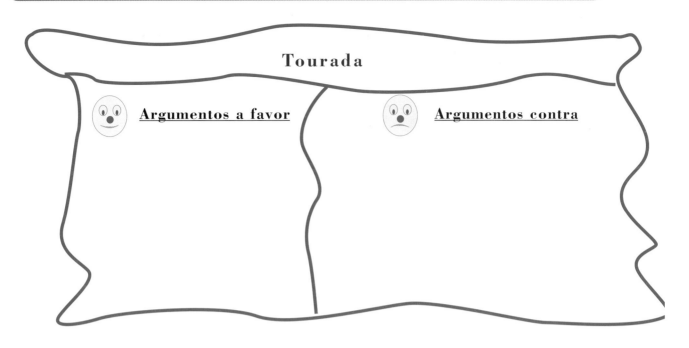

**Tourada**

Argumentos a favor    Argumentos contra

**6-**

**1. Complete o quadro.**

Gramática: completar quadro
com verbos no **P. P. S.**

| Pretérito Perfeito Simples | | |
|---|---|---|
| ser / ir | estar / ter | |
| eu _____ | eu _____ | eu _____ |
| tu _____ | tu _____ | tu _____ |
| ele _____ | ele _____ | ele _____ |
| nós _____ | nós _____ | nós _____ |
| eles _____ | eles _____ | eles _____ |

**2. Repare nos exemplos.**

Gramática: fazer frases com verbos
**ser, ir, estar** e **ter** no **P.P.S.**

> 1. Já **foste** a uma tourada?
>    Não, nunca **fui**.
>
> 2. Essa **foi** a parte menos interessante.
>
> 3. Quando **estive** em Espanha...
>
> 4. **Tive** de sair antes do final da tourada.

Faça mais alguns exemplos com os verbos *ser, ir, estar* e *ter* no
**P.P.S.**

137

**3.** Siga o exemplo, usando o verbo *ir*.

Gramática: responder com o verbo **ir** no **P.P.S**

> - *Já foram* ao Porto?
> - Sim, *já fomos.*
>           ou
> - Não, *ainda não* fomos.

a. Já foste ao Parque das Nações?

Sim, _____.

b. Você já foi ao Castelo de S. Jorge?

Não, _____.

c. Já foste à praia este ano?

Sim, _____.

d. Você já foi ver este filme?

Sim, _____.

**4.** Agora continue a colocar perguntas aos colegas ou ao professor.

Falar: perguntas e respostas com o verbo **ir** no **P.P.S.**

**5.** Siga o exemplo e faça perguntas aos colegas ou ao professor.

Falar: perguntas e respostas com o verbo **estar** no **P.P.S.**

> - *Já estiveste* em Madrid?
> - Sim, *já lá* **estive.**
>           ou
> - Não, **nunca** lá **estive.**

**6.** Siga o exemplo e pratique com os colegas.

Gramática: verbo **ser** no **P.P.S.** e revisão dos **graus dos adjectivos**

> filme / bom
> - O filme foi *bom*?
> - Não, foi *péssimo*.

a. bilhetes / baratos

b. espectáculo / mau

c. corrida / difícil

d. festa / chata

e. conferência / longa

f. viagem / boa

**7. Complete as frases com os verbos *ser, ir, ter* ou *estar* no P.P.S.**

a. Os forcados _____ para a arena de mãos vazias.

b. O cavaleiro _____ problemas com o cavalo.

c. A tourada de ontem à noite _____ um espectáculo muito interessante.

d. Os meus amigos _____ na praça de touros até ao final do espectáculo.

e. O cavaleiro _____ que trocar de cavalo.

f. Os bilhetes para a tourada _____ muito caros.

g. Ontem nós _____ à praça de touros.

h. Ontem nós _____ na praça de touros.

**8. Responda às perguntas, como no exemplo.**

> - **És** estudante?
> - Não **sou**, mas já **fui**.

1. Estás chateado?

2. Vocês têm um carro branco?

3. Tens problemas com os verbos?

4. Vais à tourada hoje à noite?

5. Você é secretária?

6. Vocês estão cansados?

7. A tourada é um espectáculo muito popular?

8. O cavaleiro tem uma bandarilha na mão?

# B. Falar sobre o passado

**1- Conjugue no P.P.S. os seguintes verbos: *falar, telefonar, acabar, compreender, correr, beber, sentir, ouvir* e *repetir*.**

| P.P.S | | | | | |
|---|---|---|---|---|---|
| Verbos Regulares | | | | | |
| **-ar** | | **-er** | | **-ir** | |
| eu _____ **ei** | | eu _____ **i** | | eu _____ **i** | |
| tu _____ **aste** | | tu _____ **este** | | tu _____ **iste** | |
| ele _____ **ou** | | ele _____ **eu** | | ele _____ **iu** | |
| nós _____ **ámos** | | nós _____ **emos** | | nós _____ **imos** | |
| eles _____ **aram** | | eles _____ **eram** | | eles _____ **iram** | |

**2-** **Faça frases com os seguintes verbos no <u>passado</u>:**

Gramática: **verbos regulares** no P.P.S

**Ⓐ**

1. Ontem eu _____ . (ficar)
2. Na semana passada tu _____ ? (encontrar)
3. No ano passado ele _____ . (comprar)
4. No fim-de-semana passado nós _____ . (passear)
5. Anteontem eles _____ . (trabalhar)

**Ⓑ**

1. No sábado passado eu _____ . (escrever)
2. Ontem tu _____ . (ler)
3. Há dois anos ele _____ . (receber)
4. Há uma semana elas _____ . (vender)
5. Hoje de manhã nós _____ . (comer)

**Ⓒ**

1. Há quanto tempo é que tu _____ ? (partir)
2. Quem é que _____ ? (abrir)
3. No domingo passado nós _____ . (repetir)
4. Ontem à noite eles _____ . (preferir)
5. Hoje eu _____ . (vestir)

**3-** **Complete o texto com os verbos conjugados no P.P.S. e depois ouça-o.**

Completar texto com as **formas verbais**

### No fim-de-semana passado

No sábado passado, o Joseph _____ (decidir) ir novamente a Sintra. _____ (convencer) o amigo e _____ (ir) os dois de comboio até à vila e _____ (visitar) o Palácio de Sintra. A seguir, _____ (entrar) num café e _____ (pedir) duas queijadas. O Joseph _____ (beber) um galão escuro e o amigo preferiu uma bica. Depois, _____ (subir) a serra a pé até ao Palácio da Pena.

O Joseph _____ (adorar) a paisagem. Ele já lá _____ (ir) mais do que uma vez, mas gosta sempre deste passeio. _____ (descer) a serra, mas no caminho _____ (encontrar) um pequeno restaurante e _____ (decidir) comer qualquer coisa. _____ (chegar) a casa cansados, mas _____ (descansar) um pouco e _____ (combinar) encontrar-se outra vez às 20:30. _____ (ir) jantar com alguns amigos e _____ (passar) uma noite como muitos jovens portugueses gostam: _____ (comer), _____ (beber), _____ (conversar), _____ (dançar) e, é claro, _____ (voltar) tardíssimo para casa. No domingo, o Joseph _____ (dormir) até à hora do almoço.

**4-** Este foi o fim-de-semana do Joseph. Faça 5 perguntas sobre o texto aos seus colegas.

Falar: compreensão do texto

**5-** Agora, responda oralmente às seguintes perguntas e, se possível, desenvolva as suas respostas.

Falar sobre o passado

1. Teve aulas de português na semana passada? O que é que aprendeu?
2. Qual foi o último filme que viu no cinema? Gostou? Porquê?
3. Comprou alguma coisa interessante na semana passada? O quê?
4. Como foi o fim-de-semana passado? O que fez ?

**6-** Faça perguntas para estas respostas, usando os verbos no *P.P.S.*

Formular perguntas

1. _____ ?
   Porque tive de trabalhar até mais tarde.

2. _____ ?
   Fui a Sintra.

3. _____ ?
   Fui, sim.

4. _____ ?
   Não, não falei com ele, mas falei com a secretária dele.

5. _____ ?
   Estive na biblioteca.

**7-** Relacione cada desenho com as acções correspondentes. Diga o que eles fizeram hoje de manhã, conjugando os verbos no *P.P.S.*

Relacionar e conjugar verbos no *P.P.S.*

A

B

C

D

E

- Levantar-se às 8:00 e tomar um duche
- Tomar o pequeno-almoço no hotel
- Sair e ir a pé para o centro da cidade do Porto
- Visitar a Sé e passear na zona da Ribeira
- Atravessar a ponte
- Visitar as Caves do vinho do Porto
- Almoçar

- Levantar-se cedo
- Preparar o saco da praia
- Encontrar-se com os amigos
- Apanhar a camioneta
- Chegar à praia
- Estender a toalha
- Apanhar sol
- Comer uma sandes
- Beber um sumo
- Voltar para casa

- Levantar-se e acordar os filhos
- Vestir os filhos
- Preparar o pequeno--almoço para a família
- Levar os filhos à escola
- Ir ao supermercado
- Limpar o pó, aspirar e arrumar a casa
- Preparar o almoço
- Ir buscar os filhos à escola
- Almoçar com a família

- Levantar-se cedo
- Arranjar-se e tomar o pequeno-almoço
- Chegar cedo ao escritório
- Ter uma reunião às 9:30
- Receber um cliente às 10:30
- Ler dois relatórios importantes
- Telefonar para Roma e Madrid
- Ter um almoço de negócios às 13:30

- Levantar-se às 10:00
- Ir para a biblioteca
- Estudar durante duas horas
- Almoçar na Faculdade
- Ter aulas às 13:00

8-

**1. Complete as frases com planos para um dia no futuro.**

> Gramática: **haver de + Infinitivo** – planos para o futuro

| Haver de + Infinitivo | | |
|---|---|---|
| Um dia eu | *hei-de* | _____. |
| tu | *hás-de* | _____. |
| ele | *há-de* | _____. |
| nós | *havemos de* | _____. |
| eles | *hão-de* | _____. |

**2. Siga o exemplo e responda às perguntas.**

> Gramática: **P.P.S./haver de + Infinitivo**

> - Já foste ao Japão?
> - Ainda não fui, mas *hei-de* ir.

a. Ela já te telefonou?

_____.

b. Vocês já visitaram a Sé?

_____.

C. Eu fui seleccionado?

_____.

d. Já tiveste um carro descapotável?

_____.

e. Você já comeu cozido à portuguesa?

_____.

f. Ele já vos visitou?

_____.

g. Vocês já foram a Sintra?

_____.

h. Já mudaste de casa?

_____.

9- **Antes de ler, ouça o diálogo ao telefone e responda.**

Compreensão oral de diálogo ao telefone

### Verdadeiro ou falso?

1. O Pedro telefona para a Susana. V F

2. A Susana convida o Pedro para um concerto. V F

3. O Pedro vai com a Susana. V F

4. O Pedro já foi ao concerto. V F

5. O Pedro foi sozinho. V F

6. O Pedro e o amigo não gostaram do concerto. V F

7. No próximo concerto, o Pedro vai com a Susana. V F

- Está?
- Está? Pedro?
- Sim. Quem fala?
- Sou eu, a Susana.
- Ah, olá Susana. Então, tudo bem?
- Tudo bem. Olha, queres ir amanhã à noite ao concerto no Centro Cultural?
- Oh! Já fui. Fui ontem com o Paulo.

- Ah, já? E gostaram?
- Adorámos. É um excelente espectáculo. No próximo concerto vamos todos juntos.
- Está combinado.
- Na segunda-feira encontramo-nos na faculdade.
- Está bem. Até segunda!
- Até segunda, Susana.

## Expressões

| | |
|---|---|
| Que horror! | Está? |
| Mas, afinal, queres ir, ou não? | Quem fala? |
| Pois é! | Então, tudo bem? |
| Já foste...? | Está combinado. |
| Ainda não fui, mas hei-de ir. | |

# C. Fonética

**A letra c tem diferentes leituras.**

| | |
|---|---|
| *ca* | *ça* |
| *(que)* | *ce* |
| *(qui)* | *ci* |
| *co* | *ço* |
| *cu* | *çu* |

**Ouça as palavras e repita-as.**

**[K]**

| | | | | |
|---|---|---|---|---|
| casa | quero | quinta | conta | culpa |
| acaba | queijo | máquina | escola | procurar |
| faca | quente | quilo | copo | particular |

**[S]**

| | | | | |
|---|---|---|---|---|
| taça | centro | cidade | faço | açúcar |
| faça | cedo | fácil | aqueço | muçulmano |
| caça | cem | cinto | mereço | açucena |

# APÊNDICE GRAMATICAL

**1** Pretérito Perfeito Simples (P.P.S.)

Usa-se para acções pontuais no passado.

| | Pretérito Perfeito Simples | | | |
|---|---|---|---|---|
| | **ser \| ir** | | **estar** | **ter** |
| eu | *fui* | | *es* | *tive* |
| tu | *foste* | | *es* | *tiveste* |
| você/ela/ele | *foi* | | *es* | *teve* |
| nós | *fomos* | | *es* | *tivemos* |
| vocês/elas/eles | *foram* | | *es* | *tiveram* |

*Exemplos:*

Ontem ***fui*** ao cinema.
O empregado ontem ***foi*** muito simpático.
Anteontem eles ***estiveram*** na minha casa.
Na semana passada ***tivemos*** exame de Matemática.

**2** P.P.S: verbos regulares

| | P.P.S. | | |
|---|---|---|---|
| | Verbos regulares | | |
| | **-ar** | **-er** | **-ir** |
| eu | *-ei* | *-i* | *-i* |
| tu | *-aste* | *-este* | *-iste* |
| você/ela/ele | *-ou* | *-eu* | *-iu* |
| nós | *-ámos* | *-emos* | *-imos* |
| vocês/elas/eles | *-aram* | *-eram* | *-iram* |

**3** *já; ainda não; nunca*

*Exemplo:*

- ***Já*** visitaste o Porto?
- Sim, **já** visitei. / Não, ***ainda não*** visitei, mas vou visitar. / Não, ***nunca*** visitei.

**4**

## Haver de + Infinitivo:

Usa-se para intenções em relação ao futuro.

*Um dia* eu **hei-de ir** ao Brasil.

tu **hás-de vir** à minha casa.

ela **há-de visitar**-te.

nós **havemos de comer** comida japonesa.

eles **hão-de comprar** uma casa nova.

# Unidade

# 9

# A. Preparar uma festa

**1-**

Hoje é dia 3 de Junho e o André faz 9 anos. A mãe, a Cristina, está a preparar uma festa para o aniversário do filho. A irmã mais velha do André, a Inês, ajudou a mãe, e o pai também deu uma ajuda. O André convidou muitos amigos e os primos também vêm. Ele entregou um convite a cada um e eles vão começar a chegar às 15 horas. Agora são 14 horas e a avó Margarida também chegou para ajudar.

**Avó:** Então, já preparaste tudo para a festa?

**Cristina:** Já está quase tudo. Ontem fui ao supermercado e fiz as compras todas. Depois, encomendei o bolo de anos, os salgados e as miniaturas para o meio-dia. Comprei tudo na pastelaria do costume. O Luís acabou de chegar com a encomenda. Este ano não fiz tantas sandes como no ano passado. Ah, é verdade! Trouxe a mousse de chocolate?

**Avó:** Claro que trouxe. Está aqui no saco. Toma. Põe no frigorífico. Já puseste a mesa?

**Cristina:** A Inês já pôs. Ontem decorámos a sala com balões. Ficou gírissima. Vá lá ver!

**Avó:** Já vi, já vi. Já te esqueceste que eu também ajudei?

**Cristina:** Ah, pois foi! Então, porque é que o pai ainda não veio?

**Avó:** Olha, disse que queria fazer uma surpresa ao André. Acho que foi buscar uma pessoa para animar a festa.

**Cristina:** Uma pessoa? Quem?

**Avó:** Parece que a festa vai ter um palhaço. Ele só vai chegar às quatro horas. Não digas nada ao André!

**Cristina:** Que ideia tão gira! Ele vai adorar.

**Inês:** Pronto, mãe! A mesa já está preparada. Acho que já pus tudo. Venham ver!

## 2- Responda às seguintes perguntas:

1. Porque é que vai haver festa no dia 3 de Junho?

_____.

2. Quem ajudou a preparar a festa?

_____.

3. Quem foi buscar o bolo de anos à pastelaria?

_____.

4. A Margarida é mãe do André e da Inês?

_____.

5. Porque é que o avô não veio com a avó?

_____.

6. Quem é que pôs a mesa?

_____.

**3-** Quem fez o quê? Coloque as frases na ordem correcta e conjugue os verbos no *P.P.S.*

(pôr) a mesa

1. *O André* _____

_____

(fazer) as sandes

2. _____

_____

(dar) os convites aos colegas

3. _____

_____

(ajudar) a decorar a sala

4. _____

_____

(ir) buscar a encomenda

5. _____

_____

(começar) a chegar à festa às 15:00

6. _____

_____

(encomendar) o bolo

7. _____

_____

(chegar) para animar a festa

8. _____

_____

(ir) ao supermercado

9. _____

_____

**4-** Este é um dos convites que o André deu aos colegas. Ele esqueceu-se de preencher tudo. Acabe de preencher o convite.

CONVITE

João Miguel Nunes

CONVIDO-TE PARA A MINHA FESTA
NO DIA _____
ÀS _____ HORAS.
LOCAL : *a minha casa* _____

Confirma, por favor até *ao dia 12.*
Telef. *21 3344334*

**5-** Complete o quadro com o *Pretérito Perfeito* dos verbos *trazer* e *dizer*.

Gramática: completar com verbos **trazer** e **dizer** (P.P.S.)

| P.P.S. | | | |
|---|---|---|---|
| **trazer** | | **dizer** | |
| eu | *trouxe* | eu | *disse* |
| tu | | tu | |
| você | | você | |
| ela/ele | | ela/ele | |
| nós | | nós | |
| vocês | | vocês | |
| elas/eles | | elas/eles | |

**6-** Complete o quadro, colocando as formas dos verbos *ver* e *vir* no local correcto.

Gramática: completar com verbos **ver** e **vir** (P.P.S.)

viste / vieste      vim / vi      vimos / viemos

vieram / viram      viu / veio

| P.P.S. | |
|---|---|
| **ver** | **vir** |
| eu | eu |
| tu | tu |
| você | você |
| ela/ele | ela/ele |
| nós | nós |
| vocês | vocês |
| elas/eles | elas/eles |

**7-** Complete o quadro e faça frases.

Gramática: **trazer, dizer, ver e vir** (P.P.S.)

| Presente do Indicativo | | P.P.S. | |
|---|---|---|---|
| Hoje | eu *vejo* | Ontem | eu |
| | nós *trazemos* | | nós |
| | eles *dizem* | | eles |
| | ela *vem* | | ela |
| | tu *vês* | | tu |
| | você *traz* | | você |
| | vocês *vêem* | | vocês |
| | tu *vens* | | tu |
| | eu *digo* | | eu |
| | nós *vemos* | | nós |
| | nós *vimos* | | nós |
| | elas *vêm* | | elas |

**8-** **Quem é que pôs a mesa?**

| P.P.S. | | |
|---|---|---|
| **pôr** | | |
| Eu | _pus_ | a toalha. |
| Tu | _____ | os pratos. |
| Ele | _____ | os talheres. |
| Nós | _____ | os copos. |
| Elas | _____ | os guardanapos. |

**9-** **Vamos pôr a mesa? Coloque os objectos na coluna adequada. Alguns podem ficar nas duas colunas.**

toalha / guardanapos / chávenas / tigelas / copos /
colheres / garfos / facas / pratos / açucareiro / galheteiro

| Pôr a mesa | |
|---|---|
| **para o pequeno-almoço** | **para o almoço/jantar** |
| | |
| | |
| | |
| | |
| | |

**10-**

**1. O André está a falar com a tia sobre os presentes que recebeu.**

**Ouça primeiro o diálogo e depois leia-o.**

| | |
|---|---|
| **Tia:** | Então o que é que os teus pais te deram? |
| **André:** | Deram-me uma bicicleta nova. |
| **Tia:** | Ena! E gostaste do que eu e o tio te demos? |
| **André:** | Adorei. Um colega meu tem esse jogo e há muito tempo que eu queria ter um igual. |
| **Tia:** | Quem é que te deu esta cassete? |
| **André:** | Foi a Inês. |
| **Tia:** | E tu, o que é que lhe deste quando ela fez anos? |
| **André:** | Dei-lhe uma pulseira. |

**2.** No diálogo encontra todas as formas do verbo *dar* no *P.P.S.* Procure-as e complete o quadro.

Gramática: completar com verbo **dar** (**P.P.S.**)

| P.P.S. |
|---|
| **dar** |
| eu |
| tu |
| ele |
| nós |
| vocês |

**11-**

Compreensão oral

**1.** O André recebeu muitos telefonemas de pessoas a darem-lhe os parabéns. Logo de manhã, a Rita, uma amiga da mãe, telefonou-lhe. Ouça a conversa entre eles.

**2.** Enquanto ouve outra vez o diálogo, complete os espaços.

| | |
|---|---|
| **André:** | Está? |
| **Rita:** | Está, André? |
| **André:** | Sim. Quem _____? |
| **Rita:** | Sou a Rita, _____ da mãe. |
| **André:** | Ah! Olá! |
| **Rita:** | Então, _____ parabéns. |
| **André:** | Obrigado. |
| **Rita:** | Quantos anos _____? |
| **André:** | Nove. |
| **Rita:** | Já? O tempo passa tão _____! Olha, um grande beijinho e desejo-te um dia muito _____, está bem? |
| **André:** | _____. |
| **Rita:** | Então, _____ e dá um _____ à tua mãe. |
| **André:** | Adeus. Com _____. |

**3.**

Compreensão oral

À noite, o André foi jantar com os pais e com a irmã a um restaurante chinês. Ele adora comida chinesa. Enquanto eles estiveram fora, a tia Guida, que mora no Porto, telefonou. Quando voltaram, eles ouviram as mensagens no atendedor de chamadas. Esta foi a mensagem da tia Guida.
**Ouça-a.**

**4.** Junte A + B e ponha na ordem correcta para ficar com a mensagem que a tia Guida deixou.

Compreensão oral:
reconstituir mensagem

| **A** | **B** |
|---|---|
| O tio também te manda | se gostaste da tua festa. |
| Fala | para te dar os parabéns. |
| Amanhã à noite | de dia muito feliz. |
| Desejo-te um resto | André. |
| Olá, | um beijinho de parabéns. |
| Estou a telefonar | telefono outra vez. |
| Quero saber | a tia Guida. |

**12-** E assim se passou o dia de anos do André.

Os jovens em Portugal festejam os seus aniversários com a família, mas depois vão jantar e festejar com os seus amigos.

Como é no seu país? Como é que festejou o seu último aniversário?

Falar

**13-** Faça corresponder a cada situação a expressão correcta.

Vocabulário; expressões
adequadas

| **Situações** | **Expressões** |
|---|---|
| 1. Uma amiga teve um bebé. | a. Desejo-te as maiores felicidades! |
| 2. Estamos em Dezembro. Vai escrever um cartão de Natal a um amigo. | b. Parabéns. |
| 3. Uma amiga faz anos. | c. Festas Felizes / Feliz Natal e um Próspero Ano Novo. |
| 4. O pai de um amigo faleceu. | d. Muito obrigado. |
| 5. Uma amiga vai casar-se. | e. Os meus sentimentos. |
| 6. Uma amiga ofereceu-lhe um presente. | f. Muitos parabéns e felicidades para o bebé. |

**14-** Preste atenção ao verbo _fazer_ e complete
as frases com _tão_ ou _tanto / a / os / as._

| **P.P.S.** |
| :---: |
| **fazer** |

Eu **fiz** _____ sandes como no ano passado.

Tu **fizeste** o bolo _____ depressa!

Ela **fez** uma festa para _____ gente!

Nós **fizemos** _____ bolos!

Eles **fizeram** uma festa _____ gira!

**15.** Responda oralmente às perguntas <u>só com o verbo.</u>

1. Já abriste os presentes?

2. Vocês foram à festa do André?

3. O André fez nove anos?

4. Você disse ao seu irmão que o André faz anos hoje?

5. Trouxeste um presente para ele?

6. Pôs o seu casaco na sala?

7. Vocês vieram de táxi?

8. Viste como a sala está decorada?

9. Deste-lhe os parabéns?

10. O vosso filho não veio?

11. Vocês fizeram uma festa no aniversário dele?

12. Gostaste da surpresa?

13. Leste o cartão que eles te mandaram?

14. Telefonaram ao Miguel?

15. Tiveste muitos presentes no teu aniversário?

16. Foste com o André?

17. Vieste com eles?

18. Estiveste em casa ontem?

19. Vocês ouviram a mensagem?

20. Fizeste muitas sandes?

## B. Festas especiais

1-

### O Natal

O Natal é uma data muito especial. Os portugueses gostam de oferecer presentes a vários membros da família e também aos seus amigos. No Natal gasta-se muito dinheiro, mas o importante é reunir a família: pais, filhos, avós, tios, primos. Ninguém deve ficar sozinho. Até às 19:00 horas do dia 24, muitos portugueses procuram os presentes de última hora. O movimento nas ruas é enorme. Tudo tem de estar preparado para a noite de Natal.

Na noite do dia 24, a família junta-se para a ceia de Natal: bacalhau cozido com batatas e legumes, para os mais tradicionais; mas também há famílias que preferem peru. Para a sobremesa, a mesa enche-se de doces: fatias douradas, farófias, filhoses, bolo-rei e muitos outros. Come-se muito e também se bebe bastante. Mais tarde, vem o momento que todos esperam: a troca de presentes.

No dia 25, a festa continua com um almoço que também tem de ser especial. A família reúne-se mais uma vez e passa umas horas de convívio alegre, com todos sentados a uma mesa cheia. Mas as crianças preferem passar o dia a brincar com os brinquedos que o Pai Natal lhes ofereceu.

**2- Responda às seguintes perguntas.**

1. Indique os aspectos que, segundo o texto, são importantes para os portugueses no Natal.

2. No seu país também se festeja o Natal? É uma festa muito diferente do Natal português? Em que aspectos?

3. Como é que passou o seu último Natal?

4. E como é que festejou a última passagem de ano?

5. Imagine que estamos perto do Natal e você vai telefonar a um amigo para lhe desejar um Natal Feliz. Faça esse telefonema com um colega ou com o seu professor.

6. Agora imagine que o seu colega faz anos hoje. Telefone-lhe e dê-lhe os parabéns.

**3-**

**1. Antes de ler, ouça os dois diálogos ao telefone e diga qual é a ocasião especial a que cada um deles corresponde:** *casamento / aniversário / Natal / nascimento.*

| Telefonema | Ocasião |
|---|---|
| 1º. | |
| 2º. | |

**2. Agora leia os diálogos ao telefone e faça algumas perguntas sobre os telefonemas.**

| 1º telefonema | 2º telefonema |
|---|---|
| **A** | **B** |
| - Está? | - Está? |
| - Está. É da casa da Sofia? | - Está, Paulo? Daqui é o Luís. |
| - Sim. Sou eu. Quem fala? | - Olá! Como está? |
| - Já não me conheces? Sou o João. | - Bem, obrigado. Olhe, estou a telefonar para lhe desejar um Feliz Natal e um óptimo Ano Novo. |
| - Ah! Olá, João! Tudo bem contigo? | |
| - Sim, está tudo bem, obrigado. Olha, estou a telefonar-te para te desejar muitas felicidades. Já recebeste o meu cartão? | - Obrigado, Luís. Um Feliz Natal para si também. Vai passar o Natal na sua casa? |
| - Já, já recebi. Mas, não podes mesmo vir? | - Não, este ano vou passar na casa dos meus pais. Bom, vemo-nos no dia 3 de Janeiro na reunião. |
| - Não, é impossível. Vais casar no mesmo dia em que os meus pais fazem 25 anos de casados. Tenho de ir à festa deles. | - É verdade! Então, até dia 3. Com licença. |
| - Pois é. Tenho imensa pena. | |
| - Deixa lá! Olha, desejo-te um dia muito feliz e muitas felicidades para ti e para o Mário. | |
| - Obrigada. E dá um beijinho meu aos teus pais. | |

## Expressões

| | |
|---|---|
| Acabou de chegar. | Felicidades! |
| Claro que… | Festas Felizes! |
| Toma. | Feliz Natal! |
| Vá lá ver! | Um próspero Ano Novo! |
| Pois foi! | Os meus sentimentos! |
| Muitos parabéns! | Quem fala? |
| Desejo-te um dia muito feliz. | Deixa lá! |
| Com licença. | |

## C. Fonética

Os sons nasais são difíceis para alguns estrangeiros.
Ouça com atenção as palavras que têm sons nasais e repita-as.

| | |
|---|---|
| • falam | • põe |
| • tiveram | • põem |
| • compram | • pão |
| • voltam | • tão |
| • vendem | • mão |
| • sentem | • cão |
| • tem | • cães |
| • vem | • pães |
| • têm | • mãos |
| • vêm | • irmãos |
| • lêem | • limões |
| • vêem | • acções |

# APÊNDICE GRAMATICAL

**1** Pretérito Perfeito Simples: verbos irregulares

|  | **trazer** | **dizer** | **fazer** |
|---|---|---|---|
| eu | trouxe | disse | fiz |
| tu | trouxeste | disseste | fizeste |
| você/ela/ele | trouxe | disse | fez |
| nós | trouxemos | dissemos | fizemos |
| vocês/elas/eles | trouxeram | disseram | fizeram |

|  | **ver** | **vir** | **pôr** | **dar** |
|---|---|---|---|---|
| eu | vi | vim | pus | dei |
| tu | viste | vieste | puseste | deste |
| você/ela/ele | viu | veio | pôs | deu |
| nós | vimos | viemos | pusemos | demos |
| vocês/elas/eles | viram | vieram | puseram | deram |

**2** conseguir / saber / poder

- **conseguir** – ter capacidade de

*Exemplos:*  Não **consigo** compreender este texto. É muito difícil.
              **Consegues** correr 15 km sem parar?

- *saber* – ter conhecimento de
              – saber como fazer alguma coisa

*Exemplos:*  Já **sei** que encontraste a Rita ontem.
              Ele **sabe** nadar?

- **poder** – possibilidade
              – permissão
              – proibição

*Exemplos:*  No próximo sábado não **posso** ir com vocês ao futebol.  Tenho de estudar.
              **Posso** usar o teu dicionário?
              Não **podes** fumar neste restaurante.

# UNIDADE DE REVISÃO 3

## 1. Qual é a expressão correcta para os espaços?

| | |
|---|---|
| Parabéns! | Que pena! |
| Boa viagem. | Que bom! |
| Com licença. | Não faz mal. |
| Desculpe. | De nada. |
| As melhoras. | Vamos embora! |

1.     - Afinal posso ir à tua festa.

     - _____

2.     - _____ , podia dizer-me onde ficam os Correios?

3.     - Muito obrigada pela cassete que me emprestaste.

     - _____

4.     - _____. Tenho que descer na próxima paragem.

5.     - Então, _____! Quantos anos fazes?

6.     - Desculpa, mas esqueci-me completamente de trazer o livro que me pediste.

     - _____

7.     - Ouvi dizer que vocês partem esta noite para Madrid. Então, _____!

     - Obrigado.

8.     - Querem ir ao cinema hoje à noite?

     - _____! Que filme vamos ver?

9.     - No próximo fim-de-semana não posso ir contigo à praia.

     - _____!

10.   - Vou para casa. Estou com 38,5º de febre e dói-me imenso a cabeça.

     - Então, até amanhã e _____.

## 2. Responda às perguntas com o verbo + pronome (reflexo ou indirecto).

1.     - Esqueceste-te das chaves do carro?

     - (eu) _____ .

2.     - Disseram aos vossos pais que vão chegar mais tarde?

     - (nós) _____ .

3.     - Disse o que se passou ao director?

     - (eu) _____ .

4.  - Vocês lembraram-se de trazer os vossos bilhetes de identidade?

    - (nós) _____ .

5.  - Fazes-me um favor?

    - (eu) _____ .

6.  - Trouxeste-me o que te pedi?

    - (eu) _____ .

7.  - O senhor já telefonou à sua esposa?

    - (eu) _____ .

8.  - Já deram os parabéns à Teresa?

    - (nós) _____ .


3. Faça frases e junte-as com: porque, mas, e, quando ou enquanto.

1.  • segunda-feira passada / (eu) ir / médico.
    • ele / só / atender-me / 19 horas.

    _____

    _____


2.  • próximas férias / (eu) ir / Paris
    • visitar / Eurodisney.

    _____

    _____


3.  • Ontem / João / chegar / atrasado
    • carro / avariar-se.

    _____

    _____


4.  • Normalmente / ele / pôr / mesa
    • eu / fazer / jantar.

    _____

    _____


5.  • eu / dar-lhe / presente
    • ela / dizer-me / sempre / obrigada.

    _____

    _____

4.

Esta é a Sara. Ela é secretária e ontem foi o seu primeiro dia de trabalho no gabinete do Dr. Santos, numa empresa em Coimbra.
Ela foi substituir a Carla que vai ter um bebé e durante alguns meses não pode ir trabalhar.
Quando a Sara chegou ao trabalho, encontrou na sua secretária uma mensagem da Carla com algumas instruções.
Escreva de novo as instruções na **forma imperativa**, utilizando a forma **você** .

**A**

- *ir* buscar o correio e o jornal à recepção
- *abrir* o correio
- *pôr* os faxes e o jornal na secretária do Dr. Santos
- *fazer* café
- *levar* o café ao Dr. Santos
- *passar* os relatórios no computador
- *confirmar* a reunião com os clientes
- *reservar* uma passagem de avião e hotel para o Dr. Santos para a viagem a Barcelona
- *enviar* as facturas aos clientes
- *atender* o telefone e *anotar* as mensagens

- _____
- _____
- _____
  _____
- _____
- _____
- _____
- _____
- _____
  _____
- _____
- _____

**B**

Quando a Sara chegou a casa, a mãe perguntou-lhe o que ela fez no seu primeiro dia de trabalho. O que é que ela respondeu?

- **Fui** buscar o correio e o jornal. _____
_____
_____
_____
_____
_____
_____
_____
_____
_____

5. A que parte do corpo é que se destinam?

| | |
|---|---|
| 1- luvas | a- *pernas* |
| 2- meias | b- olhos |
| 3- gorro | c- braços |
| 4- cachecol | d- pés |
| 5- *calças* (a) | e- mãos |
| 6- óculos | f- cabeça |
| 7- mangas | g- pescoço |

6. <u>Tem imaginação?</u> Olhe para estes desenhos e apresente os personagens. Dê o máximo de informações sobre elas: <u>nome</u>, <u>nacionalidade</u>, <u>parentesco</u>, <u>profissão</u>, <u>descrição física</u>, <u>idade</u>, <u>onde vivem</u>, <u>passatempos</u>, etc.

_____
_____
_____
_____
_____
_____
_____
_____

_____
_____
_____
_____
_____
_____
_____

7. Escreva as seguintes frases no plural.

1. O amigo alemão deixou uma mensagem.

   _____

2. O irmão do director também veio.

   _____

3. Faz o exercício da lição, por favor.

   _____

4. O senhor inglês enganou-se na direcção.

   _____

5. Quando estive nesse país, fui a uma festa tradicional muito interessante.

   _____

6. Já viste a exposição?

   _____

7. Gostei imenso do dia que passei contigo.

   _____

8. Você veio ontem à aula?

   _____

8. Lembra-se do Sr. Saraiva? Estas são imagens do dia de ontem do Sr. Saraiva.
   O que é que ele fez?

_____

_____

_____

_____

_____

_____

_____

_____

_____

_____

_____

_____

_____

_____

_____

_____

_____

 9. a) Ouça cada palavra com atenção e marque a que ouviu.

b) De seguida, ouça cada palavra e repita-a.

| | |
|---|---|
| 1. vem / vêm | 7. sou / só |
| 2. doze / dois | 8. seu / céu |
| 3. três / treze | 9. vêm / vêem |
| 4. vês / vens | 10. traz / atrás |
| 5. costas / gostas | 11. faca / vaca |
| 6. viemos / vemos | 12. Zé / Sé |

10. Escreva uma frase com cada uma das palavras.

| | |
|---|---|
| 1. _____ | 7. _____ |
| 1. _____ | 7. _____ |
| 2. _____ | 8. _____ |
| 2. _____ | 8. _____ |
| 3. _____ | 9. _____ |
| 3. _____ | 9. _____ |
| 4. _____ | 10. _____ |
| 4. _____ | 10. _____ |
| 5. _____ | 11. _____ |
| 5. _____ | 11. _____ |
| 6. _____ | 12. _____ |
| 6. _____ | 12. _____ |

II. Ouça os seguintes diálogos e complete as partes que faltam.

Diálogo I.

- Desculpe, _____ dizer-me onde fica o Museu do Azulejo?
- Olhe, _____ sempre _____ frente _____ esta rua e _____ na primeira ____
  direita. Depois, _____ por essa rua _____ ver uma igreja do _____
  esquerdo. O Museu do Azulejo _____ mesmo _____ lado da igreja.
- Obrigadíssimo.
- De nada.

Diálogo 2.

- Olá, Paula. Então, _____ da festa _____ anos do Pedro?
- _____.  Porque é que não _____?
- Não _____ porque o meu pai também _____ anos e _____ de almoçar com
  toda a família. A minha mãe _____ um almoço na casa de praia.
- Quantos anos é que o teu pai _____?
- _____.
- Olha, _____-lhe os meus _____ atrasados.

# Unidade

# 10

# A. Falar sobre acontecimentos passados

**1-** Leia a carta que a Maria escreveu à amiga Marta.

Lisboa, 20 de Agosto de 2002

Querida Marta,

Cá estou novamente em Lisboa. É verdade! As férias já acabaram e estou outra vez a trabalhar.

Como muitas pessoas ainda estão de férias, o hospital está mais calmo. O problema é que muitos colegas também estão de férias e, por isso, também há menos médicos.

Este ano o António quis passar uma semana na Escócia em Junho e fomos os dois sozinhos. Acreditas?! Os miúdos não puderam ir connosco, porque tiveram que se preparar para os exames finais. Durante essa semana ficaram com os avós. Desde que eles nasceram, esta foi a primeira vez que eu e o António não os levámos connosco. Foi como uma segunda lua-de-mel.

A Escócia é linda! Tive muitas saudades dos meus filhos, mas tenho que admitir que foi uma semana fantástica.

Nas outras três semanas fomos, como é habitual, para a nossa casa em Tróia. É claro que o Francisco e a Rita também foram. Eles adoram estar lá. Têm os seus amigos e passam o dia na praia e na piscina. Este ano houve uma festa no clube com muita gente conhecida. Normalmente não tenho muita paciência para essas coisas, mas este ano decidimos ir. Foi giro!

Sabes quem encontrámos na praia? O teu irmão e a tua cunhada. O António viu-os na esplanada da praia e fomos ter com eles. Gostei imenso de os ver. Soube por eles que tu este ano foste de férias para o Brasil. Tens uma profissão em que andas sempre a viajar e nem nas férias consegues ficar por cá muito tempo! Depois, tens de me contar tudo.

Em Setembro espero-te, como de costume, para uns dias em Santarém. Vais às vindimas, não vais? Nós vamos e com certeza que nos vamos encontrar todos. Gosto sempre de ver os meus pais e o resto da minha família.

Bom, vou terminar aqui. Vemo-nos em Setembro.

Até lá, muitos beijinhos da tua amiga

Maria e do resto da família.

**2-** Responda às perguntas sobre a carta da Maria.

1. Qual é a profissão da Maria ?

_____

2. Qual acha que pode ser a profissão da Marta?

_____

3. A Maria vai encontrar a Marta? Onde?

_____

**3-** A Marta recebeu a carta da amiga e leu-a ao irmão.
Ouça-a e depois faça três perguntas aos seus colegas
sobre o conteúdo da carta.

Compreensão oral

1. _____ ?
   _____

2. _____ ?
   _____

3. _____ ?
   _____

**4-** Onde é que você passou as últimas férias?
Fale um pouco sobre o que fez nas férias.

Falar: as minhas
últimas férias

**5-** Coloque estas formas verbais no local
correcto.

Gramática: verbos **saber, haver,
querer** e **poder** (P.P.S.)

1.

soube   pudeste   houve   quis   souberam   puderam
soube   quis   pude   soubeste   pôde   quisemos
quiseram   soubemos   pudemos   quiseste

|  | **saber** | **haver** | **querer** | **poder** |
|---|---|---|---|---|
| eu | | | | |
| tu | | | | |
| você, ela, ele | | | | |
| nós | | | | |
| vocês, elas, eles | | | | |

2. Leia as formas de cada verbo.

3. Agora, responda às perguntas <u>só com o
verbo.</u>

Gramática: responder oralmente
a perguntas com os verbos

a. Soubeste o que aconteceu?

b. Puderam sair mais cedo ontem?

169

   c. Ontem houve algum filme interessante na televisão?

   d. Você quis sair com ela no domingo passado?

   e. Já souberam o preço da viagem?

   f. Hoje vocês quiseram ir almoçar fora?

   g. Pudeste usar a piscina do hotel?

   h. Houve algum problema com o carro?

   i. Ele quis ir contigo nas férias?

   j. Você soube o caminho para Tróia?

**6.** **Aqui está uma lista de actividades. Assinale as que já fez e as que ainda não fez. Faça perguntas aos colegas sobre cada uma.**

| Falar: actividades no passado |
| --- |

*Exemplo:*

| Já escreveste um livro? |
| --- |

| Já | | Não / Ainda não | |
| --- | --- | --- | --- |
| | Escrever um livro | | |
| | Plantar uma árvore | | |
| | Fazer um cruzeiro | | |
| | Aprender uma língua | | |
| | Ver um filme português | | |
| | Subir uma montanha a pé | | |
| | Provar uma comida exótica | | |
| | Fazer um discurso | | |
| | Preparar uma festa para mais de 10 pessoas | | |
| | Ler um livro português | | |
| | Ir a outro continente | | |
| | Ter um animal doméstico | | |
| | Fazer algum desporto radical | | |
| | Fazer mergulho | | |
| | Ganhar um prémio | | |
| | Tomar banho na praia à noite | | |

# B. Momentos marcantes na vida

Compreensão oral

**1-** **Olhe para estas fotografias da Maria e ouça com atenção o que ela diz sobre a sua vida.**

Com um ano

A minha Primeira Comunhão

Na escola com os colegas

Fim do curso

O meu casamento

A minha filha

Nasci em Lisboa em 1955 e comecei a andar com 1 ano. Aos 6 anos fui para um colégio privado e aos 8 anos fiz a Primeira Comunhão.

Aos 15 anos mudei para uma escola secundária pública e conheci muitos colegas novos. Decidi estudar Medicina e aos 18 anos entrei para a Universidade. Estudei muito e terminei o curso com 26 anos. Na Universidade conheci o António. Namorámos durante quatro anos e casámos em 1982.

Somos os dois médicos num hospital de Lisboa e moramos num apartamento perto do centro da cidade.

Em 1983 nasceu a nossa primeira filha.

**2-** Compreendeu o que a Maria disse?

Ouça novamente e depois escreva o que aconteceu em cada momento da vida dela.

| | |
|---|---|
| Em 1955 | |
| Com 1 ano | |
| Aos 6 anos | |
| Aos 8 anos | |
| Aos 15 anos | |
| Aos 18 anos | |
| Aos 26 anos | |
| Em 1982 | |
| Em 1983 | |

**3-**

**1.** Na vida de uma pessoa há momentos que são essenciais. Assinale os que considera mais importantes. Acrescente outros se necessário.

| | |
|---|---|
| O primeiro dia de escola | A entrada na Universidade |
| Começar a ler | A entrada na vida profissional |
| O dia da Primeira Comunhão | O casamento |
| O primeiro amor | O nascimento de um filho |

**2.** Quais os momentos que na sua vida foram mais marcantes para si?

**4-** Siga o exemplo e repita a pergunta, utilizando os pronomes: *me, te, o, a, nos, vos, os, as.*
Tente fazer o exercício oralmente.

*Exemplo:*

> Viste o **António**?
>         ou
> Viste-**o** ?

1. Compraste **os dicionários**?
2. Disseste **o preço** ao cliente?
3. Você leva **as crianças** consigo?
4. Trouxe **a minha carteira**?
5. Já souberam **o endereço dela**?

6. Já fizeste **as malas**?
7. Leu **este jornal**?
8. Já viu **as fotografias das férias**?
9. Já mandaste **a carta**?
10. Já pôs **o carro** na garagem?

**5.** Agora responda às perguntas com o _verbo_ e
o _pronome pessoal de complemento directo_
adequado.

Gramática: verbos no (P.P.S.)
+ **Pronome Pessoal**

_Exemplo:_

> - Deste **os presentes** às crianças?
> - Dei-**os.**

r 1. - Visitou o Museu Gulbenkian?

    - _____

2. - Leva-me a casa?

    - _____

3. - Limpaste o teu quarto?

    - _____

4. - Mostrou as fotografias?

    - _____

5. - Apanhou as laranjas todas?

    - _____

6. - Viu-nos na praia de Tróia?

    - _____

7. - Encontrou os seus amigos?

    - _____

8. - Trouxeste os livros que te pedi?

    - _____

9. - Entregou a carta à minha amiga?

    - _____

10. - Tomou o comprimido?

    - _____

11. - Leste a carta da Marta?

    - _____

12. - Fizeste férias na Escócia?

    - _____

13. - Teve o exame na semana passada?

    - _____

14. - Deu a carta à Marta?

    - _____

**6-** **O Paulo mora em Guimarães, no Norte de Portugal,
e durante as férias de Verão vai passar uma semana
em Lisboa com uma amiga. Eles fizeram estes
planos para essa semana:**

Gramática: usar verbos
no (P.P.S.)

✔ Ir ao Museu de Arte Antiga;
✔ Ir ao Museu do Azulejo;
✔ Visitar o Parque das Nações e o Oceanário;
✔ Ir de comboio a Sintra e visitar o Palácio Real;
✔ Passar um dia na Costa da Caparica;
✔ Ir a Belém e visitar o Mosteiro dos Jerónimos;
✔ Ver uma exposição no Centro Cultural de Belém;
✔ Ir uma noite aos bares das Docas;
✔ Passear por Alfama e subir ao Castelo de S. Jorge;
✔ Fazer uma visita ao Jardim Zoológico;
✔ Ir ao Centro Comercial Colombo.

**Agora estamos em Setembro e as aulas vão recomeçar.
O que é que ele fez na semana que passou em Lisboa?**

## 7-

### 1- Teste a sua memória. Lembra-se...

- Quando é que foi à praia pela última vez?
- Qual foi o último filme que viu?
- O que é que comeu ontem ao jantar?
- Qual foi o último livro que leu?
- Quando é que viu o/a seu/sua melhor amigo/a pela última vez?
- A que horas é que se deitou ontem?
- A quem é que escreveu um postal ou uma carta pela última vez?
- Qual foi a última vez que recebeu amigos em casa?
- Onde passou o último fim-de-semana?
- O que comeu ontem ao pequeno-almoço?
- Quando é que andou de avião pela primeira vez?
- Onde conheceu o/a seu/sua melhor amigo/a?

**2- Lembra-se de alguns acontecimentos importantes a nível mundial ou nacional e que foram notícia durante o ano passado? Tente lembrar-se de alguns.**

## 8- Verão no estrangeiro

Os portugueses não viajam muito para outros países da União Europeia nas suas férias.
Isto em comparação, por exemplo, com os luxemburgueses ou os belgas, que são os que, segundo estas estatísticas, mais viajam.

### Pessoas que viajam para outros países da União Europeia (%)

| País | % |
|------|---|
| Luxemburgo | 91 |
| Bélgica | 74 |
| Alemanha | 73 |
| Holanda | 67 |
| Áustria | 65 |
| Dinamarca | 59 |
| Irlanda | 58 |
| Suíça | 53 |
| Grã-Bretanha | 52 |
| Finlândia | 32 |
| Itália | 25 |
| França | 22 |
| Portugal | 19 |
| Espanha | 10 |
| Grécia | 8 |

**1. O seu país encontra-se nesta lista? Concorda com a percentagem apresentada sobre ele? Faça um comentário sobre o seu resultado.**

**2.** Se o seu país não se encontra nesta lista, diga qual pensa que é a percentagem e justifique-a.

**3.** E você? Qual é a sua posição dentro deste quadro? Costuma viajar para fora do seu país? Que países é que já visitou?

**4.** Quais foram as suas melhores férias? Para onde foi e o que fez? O que é que elas tiveram de especial?

## Expressões

| | |
|---|---|
| Tive muitas saudades. | Bom, vou terminar aqui. |
| ... como é habitual. | Foi giro! |
| ... como de costume. | É claro que... |
| Vais, não vais? | |

## C. Fonética

Em português a letra <u>o</u> pode ter diferentes sons.
Ouça as palavras e repita-as.

| | | |
|---|---|---|
| m**o**da | d**o**rmim**o**s | Ag**o**sto |
| r**o**da | nad**o** | t**o**da |
| n**ó**rdica | m**o**dern**o** | n**o**vo |
| s**o**ma | c**o**zinha | **o**vo |
| d**o**rme | p**o**dem**o**s | m**o**sca |

175

# APÊNDICE GRAMATICAL

**1** Pretérito Perfeito Simples-verbos irregulares

|  | saber | haver | poder | querer |
|---|---|---|---|---|
| eu | soube | | pude | quis |
| tu | soubeste | | pudeste | quiseste |
| você/ela/ele | soube | houve | pôde | quis |
| nós | soubemos | | pudemos | quisemos |
| vocês/elas/eles | souberam | | puderam | quiseram |

**2** Pronomes pessoais de complemento directo

| eu | me |
|---|---|
| tu | te |
| você/ela/ele | o, a |
| nós | nos |
| vocês | vos |
| vocês/elas/eles | os, as |

*Exemplos:*

Ontem comprei um livro e ofereci-**o** à minha irmã.

Hoje perdi o autocarro, mas um amigo levou-**me** para a escola no carro dele.

Anteontem vi a Joana, mas ontem não **a** vi.*

*\*Nota:* Os pronomes de complemento directo, tal como os de complemento indirecto e reflexos, ficam antes do verbo depois de:

- **pronomes interrogativos**
- **algum; nenhum; pouco; todo; tudo; nada; alguém; ninguém;**
- **já; ainda; também; só; não; nunca; que; onde...**

# Unidade
# 11

# A. Falar das características profissionais

1-

> Jornalista precisa-se
> M / F
>
> Semanário precisa de jornalista com experiência de
> trabalho na imprensa escrita.
> Resposta com *curriculum vitae* para o
> nº 2345 deste jornal.

**A Teresa é uma jovem que respondeu a um anúncio para jornalista e chamaram-na para uma entrevista.**

**1. Sem olhar para o texto, ouça a entrevista com atenção.**

**2. Depois, ponha as partes da entrevista na ordem correcta.**

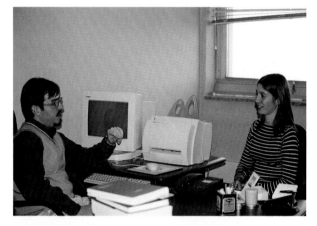

**A** - Já fez alguma reportagem de carácter internacional?
- Não, porque o jornal onde trabalho não se interessa por reportagens desse tipo. Mas viajei por vários países e o meu trabalho de final de curso foi uma reportagem sobre um tema social: a desigualdade a nível profissional entre homens e mulheres. Tive que fazer muito trabalho de investigação e muitas entrevistas. Gostei imenso dessa experiência e acho que o vosso jornal e a vossa revista têm mais este tipo de reportagens.

**B** - Bom dia.
- Bom dia. Faça o favor de se sentar.
- Com licença.
- Sou o Fernando Reis e sou o chefe de redacção deste jornal. Como está?
- Bem, obrigada. Sou a Teresa Cruz.

**C** - Bom, Teresa. Se calhar ainda vamos trabalhar juntos. Até ao fim-de-semana nós dizemos-lhe alguma coisa.
- Fico à espera. Então, muito bom dia e obrigada.
- Bom dia, Teresa.

**D** - Ora, tenho aqui a sua carta e o seu currículo. Diz aqui que fez o curso de Comunicação Social.

- Sim, fi-lo na Universidade de Coimbra e terminei-o há dois anos, com a média de 15. Agora ando a fazer um curso de pós-graduação.

- Muito bem. A nível de línguas estrangeiras, domina perfeitamente o inglês, o alemão e o francês, não é verdade?

- Sim. Os meus avós, da parte da minha mãe, são franceses e por isso sempre passei férias com eles e eles não falam português. Além disso, fiz todo o ensino secundário no Colégio Alemão.

**E** - Sim, de facto é verdade. Diga-me uma coisa: não tem qualquer problema em viajar e fazer trabalhos noutros países?

- Não, pelo contrário. Isso é uma coisa que adorava fazer.

**F** - Muito bem. A nível da sua experiência profissional, trabalhou num jornal diário muito conhecido durante dois anos. Ainda trabalha para ele?

- Sim, ainda continuo lá.

- Porque é que quer mudar de jornal?

- Bem, porque preferia trabalhar num semanário. Gostava de poder escrever reportagens sobre temas interessantes e importantes para a opinião pública, em vez de pequenos artigos sobre notícias do dia a dia.

Ordenar partes do diálogo

|  | Parte (Letra) |
|---|---|
| 1º |  |
| 2º |  |
| 3º |  |
| 4º |  |
| 5º |  |
| 6º |  |

**3.** Agora ouça novamente a entrevista e leia-a com um colega. Ouvir e ler

**2-** Qual é a ideia principal de cada parte da entrevista? Coloque a letra da parte da entrevista adequada a cada ideia.

❑ Habilitações e conhecimento de línguas.

❑ Experiência profissional e razões para mudar de jornal.

❑ Despedida.

❑ Interesses profissionais.

❑ Gosto de viajar.

❑ Apresentação.

**3-** Este é o currículo da Teresa. Preencha as partes que faltam com a informação do diálogo.

---

### *Curriculum vitae*

*Nome*: _____Maria Sanches Boubot_____

_____:   Rua Teles da Silva, nº 5, 8º Esq.
1100 024-Lisboa

_____:   214443333

*Estado* _____:   Solteira

*Data de*_____:   23 de Maio de 1975.

*Habilitações Académicas*:   -Colégio_____ até ao 12º Ano.
-Curso de _____ _____, na
_____ de Coimbra com _____ final de 15
valores.
-5 anos no Instituto Britânico.

*Línguas*:   Bom domínio de _____,_____ e _____ .

*Experiência* _____:   _____no jornal Correio Diário_____ 2001.

---

**4-** Siga a ordem do currículo da Teresa e fale do seu próprio currículo. Comece assim:

- Chamo-me .... e moro em ....

## 5- Simulação

Imagine que quer mudar de emprego. Simule uma entrevista com um dos directores da nova empresa. Siga o exemplo da entrevista da Teresa. A entrevista depende da sua profissão, mas não se esqueça de referir:

- Porque quer mudar de empresa;
- Experiência profissional relevante;
- Interesses profissionais;
- Disponibilidade para começar a trabalhar.

**6-** Procure no diálogo <u>sinónimos</u> das seguintes palavras ou expressões:

### Sinónimos

| | |
|---|---|
| acabei | |
| assuntos | |
| muitos | |
| em relação a | |
| gostava imenso | |
| possivelmente | |
| género | |

**7-** Qual o perfil profissional adequado?

Aqui tem algumas profissões. Que características é que acha que cada uma exige?
Pode usar algumas características da lista que está depois do quadro.
Justifique as suas opiniões.

| Guia turística | Jogador de futebol | Educadora de infância | Médico | Político |
|---|---|---|---|---|
| | | | | |

### Características para um perfil profissional:

| | |
|---|---|
| sensível | boa apresentação |
| paciente | boa preparação física |
| sociável | boa capacidade de argumentação |
| comunicativo | interesse pelos outros |
| lutador | boa voz |
| extrovertido | boa dicção |
| desinibido | preparação técnica |
| corajoso | capacidade de persuasão |
| sério | divertido |
| decidido | sangue frio |

**8-** **A Teresa fez um trabalho sobre a desigualdade a nível profissional entre homens e mulheres.**

> Falar: defender
> opiniões

**Acha que há profissões próprias para homens e profissões para mulheres?**
**Se acha que sim, faça uma lista e justifique a sua opinião. Depois compare a sua lista com as dos seus colegas.**

| Profissões para homens | Profissões para mulheres |
|---|---|
|  |  |

> Responder a
> questionários

**9-**

**1. Concorda com estas afirmações ?**

| | | SIM | NÃO |
|---|---|:---:|:---:|
| **a.** | Os homens devem partilhar os trabalhos de casa. | ❑ | ❑ |
| **b.** | As mulheres devem ter um emprego, mesmo quando têm filhos. | ❑ | ❑ |
| **c.** | Só as mulheres que trabalham têm independência económica. | ❑ | ❑ |

d. A sociedade ainda vê a mulher essencialmente como mãe e dona de casa.  ❑ ❑

e. Quando a mulher trabalha fora de casa, há mais problemas para o casamento e para os filhos.  ❑ ❑

e. Um homem pode educar os filhos tão bem como a mulher.  ❑ ❑

**2. Discuta com os seus colegas estas afirmações e justifique a sua opinião.**

Falar: comparar opiniões
e justificá-las

**10-** **Substitua as partes sublinhadas pelos pronomes _o, a, os, as_ e faça as alterações necessárias.**

Gramática: **pronomes pessoais
de complemento directo**

1. Fiz <u>o curso</u> com média de 15.

    _____ .

2. Ontem enviámos <u>as cartas</u>.

    _____ .

3. Discutiram <u>o assunto</u>?

    _____ .

4. Preferimos <u>este jornal</u>.

    _____ .

5. Eles dão <u>a entrevista</u> às 10:00.

    _____ .

6. Põe <u>a carta</u> no correio, por favor.

    _____ .

7. Ela anda a fazer <u>o trabalho final</u>.

    _____ .

8. Trazem <u>os vossos passaportes</u>?

    _____ .

9. Eles costumam pagar <u>o salário</u> hoje?

    _____ .

10. Ela faz <u>a reportagem</u> sobre esse tema.

    _____ .

## B. Inquéritos de rua

**1-** Os portugueses são grandes utilizadores de telemóveis. [Compreensão oral] Alguns até os usam demasiado e, às vezes, as contas são difíceis de pagar.

Ouça o inquérito que este jovem fez a uma senhora na rua.

- Bom dia, minha senhora. Andamos a fazer um inquérito sobre o uso dos telemóveis. Importa-se de nos responder a algumas perguntas?
- Não, não me importo.
- Acha que os telemóveis são úteis?
- Sim, acho que sim.
- Acha que os telemóveis têm uma maior utilidade a nível profissional ou a nível privado?
- Acho que são importantes em ambos.
- A senhora tem telemóvel?
- Tenho.
- Quando quer comunicar com os seus familiares e com os amigos costuma utilizar mais o telemóvel ou o telefone normal?
- Acho que utilizo mais o telemóvel.
- O telemóvel ajuda-a na sua profissão?
- Humm… Não, não muito.
- Já esteve em alguma situação em que o telemóvel foi imprescindível?
- Por acaso já estive. Há dois ou três meses tive um problema com o meu carro na auto-estrada para o Porto. Telefonei para o serviço de assistência em viagem da minha seguradora e rapidamente tive ajuda.
- Uma última pergunta. Acha que é mais caro telefonar do telemóvel?
- Pelo contrário. Acho que o telefone normal fica mais caro que o telemóvel.
- Muito obrigado pelo seu tempo e um bom dia para a senhora.
- Bom dia.

**2-** Agora leia o inquérito com um colega ou com o seu professor. [Ler]

**3-** No seu país os telemóveis também são muito populares? Refira as [Falar] **vantagens** e **desvantagens** do seu uso.

## 4- Simulação

**Agora imagine que trabalha numa empresa que faz estudos de mercado. A sua empresa tem de fazer um estudo sobre:**

- os transportes que as pessoas utilizam mais quando vão trabalhar e porque os usam;
- a opinião que têm sobre os meios de transporte existentes;
- o que esperam de diferente no futuro.

**Você é o responsável pelo inquérito. Que perguntas é que vai fazer? Seleccione as perguntas que considera importantes fazer num inquérito sobre esta situação. Depois faça o inquérito a um colega.**

Inquérito

1. _____

2. _____

3. _____

4. _____

5. _____

6. _____

7. _____

8. _____

## Expressões

| | |
|---|---|
| Faça o favor de se sentar. | Sim, de facto é verdade. |
| Ando a fazer um curso. | ..., não é verdade? |
| Não, pelo contrário. | Importa-se de responder...? |
| Bem, porque... | Não, não me importo. |

## C. Fonética

**A letra  e  tem diferentes sons.**
**Ouça os sons e as palavras e repita-as.**

| é | comer | restaurante |
|---|---|---|
| Sé | cedo | secretária |
| festa | dedo | levamos |
| testa | caneta | trouxe |
| meta | mesa | come |
| levo | fazemos | telefone |

**Escreva mais três palavras para cada som da letra e e leia-as em voz alta.**

# APÊNDICE GRAMATICAL

**1** ## *Andar a* + Infinitivo

Usa-se para acções que começaram no passado e que continuam ou se repetem até ao momento presente e que certamente vão continuar.

*Exemplos:*

**Ando a ler** um livro muito interessante.
(Comecei a ler o livro no passado e ainda estou a ler.)
Ela **anda a tirar** um curso de fotografia.
(Já começou o curso e ainda o está a fazer.)

**2** ## *Costumar* + Infinitivo

Usa-se para acções habituais.

*Exemplos:*

**Costumamos jogar** ténis aos sábados.
(Habitualmente jogamos ténis aos sábados.)
**Costumas ler** esta revista?
(Lês habitualmente esta revista?)

**3** ## Partícula apassivante: *se*

Usa-se quando o sujeito da acção é indefinido ou irrelevante. O verbo depende do complemento directo, isto é, conjuga-se na 3ª pessoa do singular ou plural.

*Exemplos:*

Em Portugal c<u>omem</u>-**se** <u>muitos doces.</u>
<u>Bebeu</u>-**se** <u>todo o chá</u>.
<u>Vendem</u>-**se** <u>apartamentos</u>.
<u>Fazem</u>-**se** <u>algumas sandes</u> e <u>compra</u>-**se** <u>um bolo</u>.

**4** ## Pronomes relativos: *que; onde*

*Exemplos:*

Estou a ler o livro **que** comprei ontem.
O homem **que** está sentado ali é o pai do Paulo.
O quarto **onde** tu dormiste é muito melhor do que o meu.

**5** ## Advérbios terminados em *-mente*

Formam-se a partir dos adjectivos.

*Exemplos:*

(calmo – calma**mente**)
Ele entrou **calmamente** em casa.
(frequente – frequente**mente**)
Nós vamos **frequentemente** a esse restaurante.

## 6  Pronomes pessoais de complemento directo (excepções)

### Casos especiais dos pronomes: *o, a, os, as*

**1•** Estes pronomes têm as formas **–no; -na; -nos; -nas** quando estão depois de verbos que terminam em:

- *- m*
- *- ão*
- *- õe*

*Exemplos:*

Eles receberam a carta e leram *a carta.*
Eles receberam a carta e leram-*na.*

Os pais compraram os presentes e dão **os presentes** aos filhos.
Os pais compram os presentes e dão-*nos* aos filhos.

Ela traz a mala e põe **a mala** em cima da mesa.
Ela traz a mala e põe-*na* em cima da mesa.

**2•** Estes pronomes têm as formas **–lo; -la; -los; -las** quando estão depois de verbos que terminam em :

- *- r*
- *- s*
- *- z*

*Nota:* Estas letras (<u>r, s, z</u>) caem.

*Exemplos:*

Adoro este bolo. Vou comer **o bolo** já.
Adoro este bolo. Vou comê-**lo** já.

A sala está sujíssima, mas nós limpámos **a sala** ontem.
A sala está sujíssima, mas nós limpámo-**la** ontem.

Ele compra sempre o jornal e traz **o jornal** para o escritório.
Ele compra sempre o jornal e trá-**lo** para o escritório.

**3•** Excepções a estas regras:

- verbo **querer** na forma *quer*
  *quere-o; quere-a; quere-os; quere-as*
  Ele **quer** <u>a salada.</u>
  Ele **quere-a.**

- verbo **ter** na forma **tens**
  *tem-lo; tem-la; tem-los; tem-las*
  Tu **tens** <u>a minha caneta.</u>
  Tu **tem-la.**

# Unidade
# 12

# A. Falar de acções habituais no passado

**1.**

A família Silva foi viver para Berlim há quatro anos. Antes, a famíla Silva vivia na Ericeira, uma vila situada na costa de Portugal. O Sr. Silva e a mulher trabalham num hotel: ele é cozinheiro e ela trabalha na lavandaria. A filha, a Clara, tem 14 anos e adora escrever. Há algum tempo escreveu uma carta para uma revista portuguesa sobre o tema: "Os problemas de adaptação dos emigrantes".

No ponto 2 encontra uma parte da sua carta.

**1.** **Antes de ler a carta, leia estas expressões sobre a família Silva. Acha que são sobre a sua vida em Portugal ou na Alemanha?**

> Exercício de preparação para texto

| | Em Portugal | Na Alemanha |
|---|---|---|
| • vida fora de casa | ❑ | ❑ |
| • muitos amigos | ❑ | ❑ |
| • andar de metro | ❑ | ❑ |
| • ir à praia | ❑ | ❑ |
| • muito frio | ❑ | ❑ |
| • dar uma volta depois do jantar | ❑ | ❑ |
| • passear pelos jardins | ❑ | ❑ |
| • problemas com a língua | ❑ | ❑ |
| • ir ao café à noite | ❑ | ❑ |

**2.**

> Leitura e compreensão

*Quando vivíamos na Ericeira, a nossa vida era muito diferente. Lá, eu tinha muitos amigos e, quando o tempo estava bom, íamos à praia depois das aulas. Íamos a pé para todo o lado e almoçávamos sempre em casa. À noite, depois do jantar, dávamos uma volta pela vila, os meus pais iam ao café e eu brincava com os meus amigos. Tínhamos uma vida mais fora de casa do que aqui em Berlim.*

*Aqui normalmente está muito frio e fica noite mais cedo. Além disso, aqui não temos muitos amigos. Por isso, à noite ficamos em casa e vemos televisão. A língua foi o maior problema. Quando chegámos, não sabíamos alemão e foi muito difícil aprender esta língua tão diferente do português. Sentimos muito a falta da praia, mas, às vezes, vamos passear até aos lagos ou pelos jardins de Berlim que são muito bonitos.*

*Aqui não temos carro e não se pode ir a pé para todo o lado numa cidade tão grande como Berlim. O metro é o nosso transporte habitual. Ao almoço não podemos vir a casa. Por isso, os meus pais almoçam no hotel e eu como na escola. A comida aqui é muito diferente da de Portugal, mas em casa os meus pais preparam refeições tipicamente portuguesas.*

*Temos muitas saudades dos nossos amigos e da nossa família, mas nas férias voltamos sempre à Ericeira e podemos rever todos.*

**3.**

a. Que outros problemas é que acha que a família Silva sentiu com a mudança de país?

b. Imagine que a família Silva se mudava para o seu país, concretamente para a sua cidade, vila ou aldeia. Quais eram as dificuldades de adaptação que você pensa que eles sentiam? O que é que acha que eles tinham de fazer para uma melhor adaptação?

c. Existem muitos imigrantes no seu país ou na sua cidade? De onde? Quais são os que acha que sentem maiores dificuldades? Porquê?

d. Já viveu alguma experiência semelhante? Já alguma vez sentiu dificuldades de adaptação a uma outra cultura?

**2-**

1. O *Pretérito Imperfeito* usa-se para falar de acções habituais no passado. Conjugue oralmente os verbos que estão dentro do quadro com as terminações do Imperfeito.

| | PRETÉRITO IMPERFEITO | |
|---|---|---|
| | **-ar** | **-er    -ir** |
| eu | **-ava** | **-ia** |
| tu | **-avas** | **-ias** |
| você | **-ava** | **-ia** |
| ela/ele | **-ava** | **-ia** |
| nós | **-ávamos** | **-íamos** |
| vocês | **-avam** | **-iam** |
| elas/eles | **-avam** | **-iam** |

comer          ir          andar

preferir          usar          fazer

passar          ler          ouvir

**2.** Faça uma frase com cada verbo sobre acções habituais no passado.

Antigamente / Dantes

a. _____ .

b. _____ .

c. _____ .

d. _____ .

e. _____ .

f. _____ .

g. _____ .

h. _____ .

i. _____ .

**3.** Complete o quadro dos verbos irregulares no *Imperfeito*.

| | Verbos Irregulares | | | |
|---|---|---|---|---|
| | *ser* | *ter* | *vir* | *pôr* |
| eu | *era* | | | |
| tu | | *tinhas* | | |
| você | | | | |
| ela/ele | | | *vinha* | |
| nós | | | | *púnhamos* |
| vocês | | | | |
| elas/eles | | | | |

**4.** Este é o João quando era criança e agora que tem 20 anos.

Alex.99

criança  ⟶  jovem

**Complete com os verbos no *Imperfeito*.**

◆ Quando era criança...

_____ com os pais.
_____ óculos.
_____ num colégio de padres.
_____ um aluno razoável.
_____ férias com a família.
_____ muito tempo para brincar.
_____ nos arredores da cidade.
_____ a pé para a escola.
_____ futebol com os colegas.
_____ livros aos quadradinhos.

◆ Agora...

**vive** sozinho.
**usa** lentes de contacto.
**anda** na Universidade.
**é** um aluno excelente.
**passa** férias com os amigos.
**tem** o tempo muito ocupado.
**vive** perto da Universidade.
**vai** de carro para a Universidade.
**joga** ténis com um amigo.
**lê** o jornal.

**3-** E você? Como era e o que fazia quando era criança?
Use os verbos no *Imperfeito*.

**4-**

**1.** Ouça o que estas duas pessoas faziam quando eram crianças.

**2.** Depois, oiça uma segunda vez e complete os espaços com os verbos no *Imperfeito*.

**A**     Cláudia

**B**     Celeste

Quando eu _____ criança, _____com os meus pais numa vila perto da cidade do Porto. Os meus pais _____uma quinta com muitos animais. Eu _____de ajudar o meu pai a tratar dos animais. Quando _____da escola, _____com os meus pais e com os meus irmãos e _____toda a tarde na quinta. Às vezes, _____de bicicleta e _____à bola. Quando o tempo _____bom, _____fora de casa. _____bons tempos!

Quando eu_____na escola primária, _____com os meus pais no centro de Lisboa._____para o colégio de carrinha e_____lá todo o dia. Só _____para casa às 6 horas da tarde. Então,_____os trabalhos de casa, _____um duche,_____e _____para a cama, porque no dia seguinte_____de me levantar muito cedo.

**3.** Faça perguntas sobre cada uma das jovens para as
**A** seguintes respostas.

1. _____?
Vivia numa vila perto do Porto.

2. _____?
Tinham muitos animais.

3. _____?
Não. Ela tinha irmãos.

4. _____?
Quando o tempo estava bom.

**B**

1. _____ ?

Não, andava na escola todo o dia.

2. _____ ?

Ia de carrinha.

3. _____ ?

Quando chegava a casa ela fazia os trabalhos de casa.

4. _____ ?

Porque no dia seguinte tinha de se levantar muito cedo.

**5-** **As cidades modernas são muito diferentes das cidades de**
**há 60 ou 70 anos atrás.**

| Expressão oral |

**Com certeza que a modernidade trouxe _vantagens_ e _desvantagens_.**

**A**

**B**

**1.** **Refira algumas _vantagens_ e _desvantagens_ de ambas.**
   **As palavras que estão dentro do quadro podem ajudá-lo/a em**
   **relação à vida numa cidade há 70 anos, mas existem muitos outros**
   **aspectos que pode referir. Não se esqueça de usar o _Imperfeito_**
   **para falar das características da cidade de há 70 anos.**

| | | | |
|---|---|---|---|
| barato | poluição | seguro | trânsito |
| barulho | puro | tempo | família |

**2.** **Você prefere viver numa cidade moderna e desenvolvida ou**
   **numa aldeia ou vila? Porquê?**

**3.** **Lembra-se de como era a sua cidade ou vila quando você era**
   **criança?**
   **Refira alguns aspectos que agora são completamente diferentes.**

194

# B. As férias

**1.** Agora a Joana vive em Berlim com os pais, mas continua a vir à Ericeira para passar as férias. Ouça o que ela faz nas férias.

Eu *passo* sempre as férias na Ericeira. De manhã, *saio* de casa com os meus pais e *vamos* para a praia. Lá, *encontramos* os nossos amigos e alguns familiares.

Enquanto os meus pais *conversam* com todas as pessoas que *conhecem,* eu *dou* uma volta pela praia com os meus amigos e *tomamos* alguns banhos. A água *é* fria, mas *é* muito divertido mergulhar com aquelas ondas.

Pelas 13.30 *voltamos* para casa e *almoçamos* quase sempre peixe grelhado com batatas cozidas e salada. Como a Ericeira *é* uma vila de pescadores, o peixe *é* sempre fresquíssimo.

Depois do almoço, *vamos* ao café e mais uma vez *encontramos* os amigos na esplanada. De seguida, *vamos* normalmente a casa dos meus avós e às 5 horas eu *vou* a casa de uma amiga que *tem* uma piscina e *divertimo-nos* imenso.

**1.** Agora leia o texto, mas substitua as formas verbais do *Presente do Indicativo* pelo *Imperfeito*. Comece assim:

"Antigamente eu *passava* sempre as férias na Ericeira. ..."

**2.** E você? Lembra-se onde passava as suas férias quando era criança? O que é que fazia? Com quem ia?

**2-** Algumas palavras causam problemas, porque estão muito próximas de outras que noutras línguas têm sentidos diferentes.

Faça uma frase exemplificativa do significado de cada uma das palavras que se seguem.

Pode usar o dicionário.

1. oficina / escritório

_____ .

_____ .

2. esquisito / raro

_____ .

_____ .

3. tenda / loja

_____ .
_____ .

4. avariado / roto

_____ .
_____ .

5. pasta / massa

_____ .
_____ .

6. vestido / robe

_____ .
_____ .

7. cabelo / pêlo

_____ .
_____ .

8. realizar / perceber

_____ .
_____ .

9. montar / subir

_____ .
_____ .

## 3- Sabe os nomes destes animais?

Vocabulário: animais

1.

_____   _____   _____   _____   _____   _____

_____   _____   _____   _____   _____   _____

**2.** **Refira um ou mais adjectivos ou características adequadas para cada um destes animais. A lista seguinte pode ajudá-lo. Pode usar o dicionário.**

> Vocabulário:
> características de animais

| | | |
|---|---|---|
| meigo | com personalidade | colorido |
| repelente | feroz | obediente |
| bonito | herbívoro | lento |
| nojento | imponente | rápido |
| fofo | inteligente | roedor |

**3.** **De quais é que gosta mais?**

> Expressão oral: gostar e detestar

- Adoro ...........................

- Gosto de ........................

- Detesto ........................

- Não gosto muito de ...........

**4.** **Quando era criança tinha algum animal de estimação? Se tinha, fale um pouco sobre ele ou eles.**

> Expressão oral: o meu animal de estimação

**Expressões**

| | |
|---|---|
| Sentimos muito a falta da praia.<br>Já alguma vez...?<br>Adoro... | Detesto...<br>Não gosto muito de...<br>Quando eu era criança... |

# C. Fonética

A letra <u>x</u> tem muitos sons diferentes.
Ouça as seguintes palavras e repita-as.

| ks | z | ch | s |
|---|---|---|---|
| táxi | exacto | excelente | máximo |
| anexo | êxito | texto | auxílio |
| sexo | exame | sexto | próximo |
| fixo | exercício | peixe | trouxe |

# APÊNDICE GRAMATICAL

**1** ## Pretérito Imperfeito do Indicativo

Usa-se para acções habituais no passado.

| Verbos regulares | | | |
|---|---|---|---|
| | **-ar** | **-er** | **-ir** |
| eu | *-ava* | *-ia* | *-ia* |
| tu | *-avas* | *-ias* | *-ias* |
| você/ela/ele | *-ava* | *-ia* | *-ia* |
| nós | *-ávamos* | *-íamos* | *-íamos* |
| vocês/elas/eles | *-avam* | *-iam* | *-iam* |

| Verbos irregulares | | | | |
|---|---|---|---|---|
| | **ser** | **ter** | **vir** | **pôr** |
| eu | era | tinha | vinha | punha |
| tu | eras | tinhas | vinhas | punhas |
| você/ela/ele | era | tinha | vinha | punha |
| nós | éramos | tínhamos | vínhamos | púnhamos |
| vocês/elas/eles | eram | tinham | vinham | punham |

*Exemplos:*

Antigamente, as pessoas **andavam** mais a pé.
No ano passado, eu **comia** todos os dias um iogurte ao pequeno-almoço.
Quando tu eras criança, **deitavas**-te sempre muito cedo.

# UNIDADE DE REVISÃO 4

1. Ponha as frases na <u>negativa</u> e substitua as partes sublinhadas pelo pronome adequado.

*Exemplo:*

> - Escreve <u>à tua amiga!</u>
> - Não **lhe** escrevas!

1. - Atende <u>o telefone!</u>

   - _____ !

2. - Envie o <u>seu currículo!</u>

   - _____ !

3. - Põe <u>a carta</u> no correio!

   - _____ !

4. - Procure <u>o seu nome</u> nessa lista!

   - _____ !

5. - Telefone <u>para a directora!</u>

   - _____ !

6. - Traz <u>o cão</u> para aqui, por favor.

   - _____ !

7. - Segue <u>estas instruções!</u>

   - _____ !

8. - Preencha <u>esse formulário</u>, por favor.

   - _____ !

9. - Diz os resultados <u>aos candidatos!</u>

   - _____ !

10. - Usa <u>o telemóvel!</u>

    - _____ !

2. Responda às perguntas como no exemplo. Use o verbo <u>sempre na Iª pessoa</u>.

*Exemplo:*

> - Foi ao cinema ontem?
> - *Fui, fui.*

1. - Fizeste a entrevista?

   - _____ .

2. - Soubeste os resultados?

   - _____ .

3. - Deu a comida ao seu peixe?

   - _____ .

4. - Vai responder ao anúncio?

   - _____ .

5. - Pôs o jornal em cima da mesa?

   - _____ .

6. - Leu os anúncios da secção de Emprego?

   - _____ .

7. - Veio à reunião?

   - _____ .

8. - Viste o filme de ontem?

   - _____ .

3. Faça perguntas para as seguintes respostas. Não se esqueça de utilizar as <u>preposições</u>.

*Exemplo:*

> - Eles vieram *<u>pela auto-estrada</u>.*
> - *<u>Por onde</u>* é que eles vieram?

1. - Todos falaram *<u>de ti</u>*.

   - _____ ?

2. - Esta carta é *<u>para a minha amiga</u>.*

   - _____ ?

3. - Ela ligou *<u>para o escritório</u>.*

   - _____ ?

4. - Nós fomos ao cinema *<u>com os nossos colegas</u>.*

   - _____ ?

5   - Eles mostraram o anúncio **_à Daniela._**

\- _____ ?

6   - Ontem li este livro **_até à página 97._**

\- _____ ?

## 4. Adivinhe o que é.

- Um animal doméstico que tem um lindo pêlo e umas unhas afiadas.
  G __ __ __

- A pessoa que vai viver para outro país.
  E __ __ __ __ __ __ __ __

- Um animal muito lento e que tem a casa às costas.
  __ __ __ T __ __ __ __ __

- O papel que tem todas as informações sobre a nossa Formação e experiência profissional.
  __ __ R __ __ __ __ __ __

- O conjunto de questões que servem, por exemplo, para fazer um estudo de mercado.
  I __ __ __ __ __ __ __ __

## 5. Ponha as frases em ordem.

a)   **Despimo**-nos, **vestimos** os nossos fatos de ginástica e durante uma hora **fazemos** aeróbica.

b)   Ao fim da tarde, **voltamos** para casa, mas à noite **encontramo**-nos com os nossos amigos para uma noite divertida.

c)   Depois, **saio** de casa e **vou** para o ginásio.

d)   Quando **acabamos** a aula, **almoçamos** juntas no restaurante do ginásio.

e)   Por isso, **levanto**-me um pouco mais tarde e **tomo** o pequeno-almoço calmamente.

f)   À tarde, **vamos** ao cinema, **passeamos** pelo centro comercial e vemos as montras.

g)   Lá, **encontro**-me sempre com a minha amiga Paula.

h)   Ao sábado não **trabalho.**

## 6. Agora reescreva o texto começando com:

\-   **_No sábado passado_** _____

_____

_____

_____

_____

_____

_____

_____

_____

_____

7. Volte a escrevê-lo começando com:

- *Antigamente*_____

_____

_____

_____

_____

_____

_____

_____

_____

_____

_____

8. Junte as frases, utilizando as formas comparativas: <u>tão…como</u>, <u>tanto…como</u>, <u>mais…do que</u>.

*Exemplo:*

> O cão é obediente. O gato é menos obediente.
> O cão é *mais* obediente *do que* o gato.

   1.   O salário de um médico é bom. Mas o salário de uma recepcionista não é.

_____

   2.   Eles trabalham oito horas por dia. Eu também.

_____

3. Esta rua é muito barulhenta. Aquela também é.

_____

4. A minha vizinha de cima fala muito. O porteiro também fala muito.

_____

5. O filme que eu vi ontem era grande. O filme que nós vimos no sábado passado não era.

_____

9. Junte cada adjectivo da coluna da esquerda com o equivalente à direita.

| | | |
|---|---|---|
| 1- | fofo | a) repelente |
| 2- | imprescindível | b) absolutamente necessário |
| 3- | nojento | c) desinibido |
| 4- | peludo | d) aquele que luta para conseguir o que quer |
| 5- | extrovertido | e) diz-se de algo que consideramos muito querido |
| 6- | lutador | f) que tem muito pêlo |

10. Qual é o contrário?

| | | |
|---|---|---|
| indeciso | ≠ | |
| chato | ≠ | |
| paciente | ≠ | |
| perigoso | ≠ | |
| rápido | ≠ | |
| feio | ≠ | |

# TEXTOS GRAVADOS PARA EXERCÍCIOS

## UNIDADE 1

**A.**

**3.**

> Ouça e complete o diálogo.

A- *Boa tarde! Sou o João. Como se chama?*

B- *Chamo-me Pierre.*

A- *De onde é você, Pierre?*

B- *Sou de Paris. E você?*

A- *Eu sou de Lisboa.*

**8.**

> Ouça as perguntas e responda.

**1.**

**2.** *Como é que ela se chama?*

**2.** *Qual é a profissão dela?*

**3.** *Onde é que ela mora?*

**4.** *De onde é a Marta?*

**5.** *Ela é francesa?*

**11.**

**3.**

> Escreva os números que vai ouvir.

*um, quinze, dois, três, quatro, dezasseis, dezassete, cinco, seis, sete, nove, dez, onze, dezanove, doze, treze, zero, catorze, dezoito, oito, vinte*

**B.**

**3.**

**1.**

> Complete os seguintes textos.

A. *Olá! Chamo-me Miguel. Sou português e moro em Sintra. Sou médico em Lisboa e gosto de jogar ténis. A minha mulher é italiana, mas fala português muito bem.*

B. *Bom dia! Sou a nova professora de português e chamo-me Rita. Eu e a minha família somos do Porto. Os meus alunos são muito simpáticos e são todos estrangeiros.*

**6.**

> Assinale a frase que ouviu.

1. *a) Ela é de Portugal.*

2. *b) Como te chamas?*

3. *b) Mora em Lisboa.*

4. *b) Sou da Alemanha.*

5. *a) Como está?*

6. *b) Vocês falam português?*

## UNIDADE 2

**A.**

**5.**

**2.**

> Ouça e escreva os números.

*quarenta e cinco, setenta e sete, trinta e dois, dezassete, vinte e dois, cinquenta e nove, noventa e quatro, catorze, oitenta e sete, doze, três, sessenta e oito, cento e dez, cento e trinta, cento e trinta e dois*

B.

## 6.

O Pedro encontra uma amiga na rua. Complete o diálogo.

A- *Olá, Mariana. Por aqui ?*

B- *Olá, Pedro! Como estás?*

A- *Bem, obrigado. Agora moras aqui, nesta rua?*

B- *Sim. Moro naquele prédio ali.*

A- *Qual prédio?*

B- *Aquele ali, ao lado da pastelaria.*

A- *Ah, sim. O teu apartamento é grande?*

B- *Sim, é muito grande: tem quatro quartos, uma sala e uma varanda bonita. Também tenho uma cozinha e duas casas de banho.*

## UNIDADE 4

A.

## 4.

Escreva os diálogos na ordem correcta. Depois, ouça-os com atenção.

a. *- Olá , Vanda. Queres ir ao cinema esta noite?*
*- Esta noite? Esta noite não posso. Vou jantar com os meus pais.*
*- Que pena! E amanhã?*
*- Amanhã à noite estou livre. Podemos ir.*
*- Óptimo!*

b. *- Tens algum plano para sábado?*
*- Não, porquê?*
*- Não queres ir a Sintra?*

*- Sim, é uma excelente ideia. A que horas vamos?*
*- De manhã. Assim, podemos subir a serra a pé e visitamos o Palácio da Pena.*
*- Está combinado.*

## UNIDADE 8

B.

## 3.

*No fim-de-semana passado*

*No sábado passado, o Joseph decidiu ir novamente a Sintra. Convenceu o amigo e foram os dois de comboio até à vila e visitaram o Palácio de Sintra. A seguir, entraram num café e pediram duas queijadas. O Joseph bebeu um galão escuro e o amigo preferiu uma bica. Depois, subiram serra a pé até ao palácio da Pena.*
*O Joseph adorou a paisagem. Ele já lá foi mais do que uma vez, mas gosta sempre deste passeio.*
*Desceram a serra, mas no caminho encontraram um pequeno restaurante e decidiram comer qualquer coisa. Chegaram a casa cansados, mas descansaram um pouco e combinaram encontrar-se outra vez às 20:30. Foram jantar com alguns amigos e passaram uma noite como muitos jovens portugueses gostam: comeram, beberam, conversaram, dançaram e, é claro, voltaram tardíssimo para casa. No domingo, o Joseph dormiu até à hora do almoço.*

## UNIDADE 9

A.

## 11.

## 2.

André: *Está?*
Rita: *Está, André?*
André: *Sim. Quem fala?*
Rita: *Sou a Rita, a amiga da mãe.*
André: *Ah! Olá!*
Rita: *Então, muitos parabéns!*
André: *Obrigado.*
Rita: *Quantos anos fazes?*

*André:* Nove.

*Rita:* Já? O tempo passa tão <u>depressa</u>! Olha, um grande beijinho e desejo-te um dia muito <u>feliz</u>, está bem?

*André:* <u>Obrigado</u>.

*Rita:* Então, <u>adeus</u> e dá um <u>beijinho</u> à tua mãe.

*André:* Adeus. Com <u>licença</u>.

**3.**

- Olá, André! Fala a tia Guida. Estou a telefonar para te dar os parabéns. O tio também te manda um beijinho de parabéns. Amanhã à noite telefono outra vez. Quero saber se gostaste da tua festa. Desejo-te um resto de dia muito feliz.

# UNIDADE DE REVISÃO 3

**9.**

> Ouça cada palavra com atenção e marque a que ouviu.
> De seguida, ouça cada palavra e repita-a.

| | |
|---|---|
| vêm | só |
| doze | céu |
| treze | vêem |
| vens | traz |
| costas | faca |
| viemos | Sé |

**11.**
> Ouça os seguintes diálogos e complete as partes que faltam.

### Diálogo 1

- Desculpe, <u>podia</u> dizer-me onde fica o Museu do Azulejo?
- Olhe, <u>siga</u> sempre <u>em</u> frente <u>por</u> esta rua e <u>vire</u> na primeira <u>à</u> direita. Depois, <u>desça</u> por essa rua <u>até</u> ver uma igreja do <u>lado</u> esquerdo. O Museu do Azulejo <u>fica</u> mesmo <u>ao</u> lado da igreja.

- Obrigadíssimo.
- De nada.

### Diálogo 2

- Olá, Paula. Então, <u>gostaste</u> da festa <u>de</u> anos do Pedro?
- <u>Adorei</u>. Porque é que não <u>foste</u>?
- Não <u>fui</u> porque o meu pai também <u>fez</u> anos e <u>tive</u> de almoçar com toda a família. A minha mãe <u>deu</u> um almoço na casa de praia.
- Quantos anos é que o teu pai <u>fez</u>?
- <u>68</u>.
- Olha, <u>dá</u>-lhe os meus <u>parabéns</u> atrasados.

# UNIDADE II

**A.**

**1.**

**B.**

- Bom dia.
- Bom dia. Faça o favor de se sentar.
- Com licença.
- Sou o Fernando Reis e sou o chefe de redacção deste jornal. Como está?
- Bem, obrigada. Sou a Teresa Cruz.

**D.**

- Ora, tenho aqui a sua carta e o seu currículo. Diz aqui que fez o curso de Comunicação Social.
- Sim, fi-lo na Universidade de Coimbra e terminei-o há dois anos, com a média de 15. Agora ando a fazer um curso de pós--graduação.
- Muito bem. A nível de línguas estrangeiras, domina perfeitamente o inglês, o alemão e o francês, não é verdade?
- Sim. Os meus avós, da parte da minha mãe, são franceses e por isso sempre passei férias com eles e eles não falam português. Além disso, fiz todo o ensino secundário no Colégio Alemão.

**F.**

- *Muito bem. A nível da sua experiência profissional, trabalhou num jornal diário muito conhecido durante dois anos. Ainda trabalha para ele?*
- *Sim, ainda continuo lá.*
- *Porque é que quer mudar de jornal?*
- *Bem, porque preferia trabalhar num semanário. Gostava de poder escrever reportagens sobre temas interessantes e importantes para a opinião pública, em vez de pequenos artigos sobre notícias do dia a dia.*

**A.**

- *Já fez alguma reportagem de carácter internacional?*
- *Não, porque o jornal onde trabalho não se interessa por reportagens desse tipo. Mas viajei por vários países e o meu trabalho de final de curso foi uma reportagem sobre um tema social: a desigualdade a nível profissional entre homens e mulheres. Tive que fazer muito trabalho de investigação e muitas entrevistas. Gostei imenso dessa experiência e acho que o vosso jornal e a vossa revista têm mais este tipo de reportagens.*

**E.**

- *Sim, de facto é verdade. Diga-me uma coisa: não tem qualquer problema de viajar e de fazer trabalhos noutros países?*
- *Não, pelo contrário. Isso é uma coisa que adorava fazer.*

**C.**

- *Bom, Teresa. Se calhar ainda vamos trabalhar juntos. Até ao fim-de-semana nós dizemos-lhe alguma coisa.*
- *Fico à espera. Então, muito bom dia e obrigada.*
- *Bom dia, Teresa.*

**UNIDADE 12**

**A.**

**4.**

**A-** *Quando eu <u>era</u> criança, <u>vivia</u> com os meus pais numa vila perto da cidade do Porto. Os meus pais <u>tinham</u> uma quinta com muitos animais. Eu <u>gostava</u> de ajudar o meu pai a tratar dos animais. Quando <u>vinha</u> da escola, <u>almoçava</u> com os meus pais e com os meus irmãos e <u>brincava</u> toda a tarde na quinta. Às vezes, <u>andava</u> de bicicleta e <u>jogava</u> à bola. Quando o tempo <u>estava</u> bom, <u>jantávamos</u> fora de casa. <u>Eram</u> bons tempos!*

**B-** *Quando eu <u>andava</u> na escola primária, <u>vivia</u> com os meus pais no centro de Lisboa. <u>Ia</u> para o colégio de carrinha e <u>ficava</u> lá todo o dia. Só <u>voltava</u> para casa às 6 horas da tarde. Então, <u>fazia</u> os trabalhos de casa, <u>tomava</u> um duche, <u>jantava</u> e <u>ia</u> para a cama, porque no dia seguinte <u>tinha</u> de me levantar muito cedo.*

# CHAVE DAS UNIDADES DE REVISÃO

## 1.

1. é; sou
2. Moro; é
3. é
4. falam
5. compram
6. Aceitas
7. escreve
8. decidimos; estamos
9. tem; chama-se
10. gosta
11. bebem
12. levanto-me; me deito
13. é; vive
14. parto

## 2.

1. A Susan é da Inglaterra, mas fala português.
2. Quantos anos tens?
3. Ela deita-se tarde todos os dias.
4. O Sr. Fonseca é português e mora no Brasil.
5. Ao domingo nunca me levanto cedo.
6. A Marianne é alemã e trabalha em Portugal.
7. Como é que se chama a mãe do José?
8. Hoje nós estamos a estudar os verbos regulares.
9. As aulas começam às nove horas.

## 3.

1. Tens / tem amigos em Portugal?
2. A que horas é que te levantas / se levanta sempre?
3. De onde é / és ?
4. Quanto é?
5. Lembras-te / lembra-se do Raul?
6. Onde fica o hotel, por favor?
7. Quantos anos tens / tem?
8. Onde vives / vive agora?
9. Quem é a Marta?
10. Como é que te chamas / se chama?

## 4.

1. d.
2. e.
3. f.
4. g.
5. b.
6. h.
7. i.
8. c.
9. j.
10. a.

## 5.

a) Ele corre.  b) Ele está a correr.

a) Eles estudam.  b) Eles estão a estudar.

a) Eles comem.  b) Eles estão a comer.

a) Eles dançam.  b) Eles estão a dançar.

a) Elas conversam / falam  b) Elas estão a conversar/ falar.

## 6.

. São sete horas.

. São oito e quarenta e cinco. / São nove menos um quarto.

. São nove e um quarto. / São nove e quinze.

. São nove e cinquenta. / São dez para as dez.

. São dez e vinte e dois.

. São doze e dez. É meio-dia e dez.

. São dezassete e vinte. / São cinco e vinte.

. São vinte e cinquenta. / São dez para as nove./ São oito e cinquenta.

## 7.

quinze
trinta e três
cinquenta
cinquenta e seis
trinta

## 8.

*mesa*
*fogão*
*pão*
*sou*

## UNIDADE DE REVISÃO 2

## 1.

1. *conheço*
2. *posso*
3. *pode*
4. *Sabes; Sei; consigo*
5. *pode / podia*
6. *conseguimos*
7. *Posso*
8. *conhecemos*
9. *sabe; conseguir*
10. *Conheces*

## 2.

1. *Esses óculos são meus.*
2. *Este cartão é dele.*
3. *Aquela garrafa de vinho é vossa.*
4. *Esses impressos são seus.*
5. *Essa cadeira é tua.*
6. *Aquele carro é deles.*
7. *Estas revistas são minhas.*

## 3.

1. *h.*
2. *d.*
3. *b.*
4. *g.*
5. *j.*
6. *i.*
7. *e.*
8. *c.*
9. *f.*
10. *a.*

## 4.

1. *e)*
2. *i)*
3. *b)*
4. *c.)*
5. *g)*
6. *d)*
7. *f)*
8. *a)*
9. *h)*

## 5.

**1.**

a) *Quando / Em que dia é que ele vai à praia com os colegas?*
b) *Aonde é que ele vai no sábado?*
c) *Com quem é que ele vai à praia no sábado?*

**2.**

a) *Onde é que ele mora?*
b) *Há quanto tempo é que ele mora no Porto?*

**3.**

a) *Quem é que está a arrumar os livros nas prateleiras?*
b) *O que é que os empregados estão a arrumar?*
c) *Onde é que os empregados estão a arrumar os livros?*

**4.**

a) *Para onde é que vocês vão todos os dias de bicicleta?*
b) *Quando é que vocês vão para a escola de bicicleta?*
c) *Como é que vocês vão todos os dias para a escola?*

**5.**

a) *O que é que te dói? / lhe dói?*

**6.**

a) *Quem é que te / lhe dá sempre um livro?*

b) *O que é que os seus / os teus tios lhe / te dão sempre no Natal?*

**6.**

...*outras maiores?*
...*outro mais fácil?*
...*outro melhor?*
...*outro mais claro?*
...*outra mais perto?*

**7.**

*beber um café*
*dificílimo*
*enorme*
*viver*
*tenho (frio)*
*óptimo*
*péssimo*
*voltar*

**8.**

*fechar*
*limpar*
*vir*
*entrar*
*trazer*
*puxar*

**9.**

*descansar; o descanso*
*trabalhar; o trabalho*
*limpar; limpo*
*compreender; a compreensão*
*chover; a chuva*
*arrumar; arrumado*
*a gordura; gordo*
*a diferença; diferente*
*cozinhar; a cozinha*

**10.**

a) *uma sandes*

b) *os óculos*

c) *uma música*

d) *pesca*

e) *o avião*

f) *a porta*

g) *o chapéu-de-chuva*

## UNIDADE DE REVISÃO 3

**1.**

1. *Que bom!* 2. *Desculpe,* 3. *De nada.* 4. *Com licença.* 5. *parabéns!* 6. *Não faz mal.* 7. *boa viagem!* 8. *vamos embora* 9. *Que pena!* 10. *as melhoras.*

**2.**

1. - *Esqueci-me.*

2. - *Dissemos-lhes.*

3. - *Disse-lhe.*

4. - *Lembrámo-nos.*

5. - *Faço-te.*

6. - *Trouxe-te.*

7. - *Telefonei-lhe.*

8. - *Demos-lhe.*

**3.**

1. *Na segunda-feira passada fui ao médico, mas ele só me atendeu às 19 horas.*

2. *Nas próximas férias vou a Paris e vou visitar a Eurodisney.*

3. *Ontem o João chegou atrasado porque o carro se avariou.*

4. *Normalmente ele põe a mesa, enquanto eu faço o jantar.*

5. *Quando eu lhe dou um presente, ela diz-me sempre obrigada.*

**4.**

a) *Vá...*
*Abra...*
*Ponha...*
*Faça...*
*Leve...*
*Passe...*
*Confirme...*
*Reserve...*

*Envie...*

*Atenda... e anote...*

**b]** *Abri o correio e pus os faxes e o jornal na secretária do Dr.Santos. Depois fiz café e levei café ao Dr. Santos. A seguir passei os relatórios no computador e confirmei a reunião com os clientes. Depois, reservei a passagem de avião e hotel para o Dr. Santos para a viagem a Barcelona. Enviei as facturas aos clientes, atendi os telefonemas e anotei as mensagens.*

**5.** *luvas / mãos*
*meias / pés*
*gorro / cabeça*
*cachecol / pescoço*
*óculos / olhos*
*mangas / braços*

**7.**

1. *Os amigos alemães deixaram mensagens.*
2. *Os irmãos dos directores também vieram.*
3. *Façam os exercícios das lições, por favor.*
4. *Os senhores ingleses enganaram-se nas direcções.*
5. *Quando estivemos nesses países, fomos a festas tradicionais muito interessantes.*
6. *Já viram as exposições?*
7. *Gostámos imenso dos dias que passámos convosco.*
8. *Vocês vieram ontem às aulas?*

**8.**

*Ontem o Sr. Saraiva levantou-se e tomou um duche. Depois, preparou o pequeno-almoço. Comeu uma torrada e bebeu uma chávena de chá. Saiu de casa, apanhou o autocarro e foi para o trabalho. Durante a manhã trabalhou no escritório e ao meio-dia foi almoçar ao restaurante. Ao fim da tarde saiu do escritório e foi ao supermercado fazer compras. Chegou a casa cansado. Jantou e depois do jantar sentou-se no sofá da sala. Viu televisão com a mulher e depois foi-se deitar.*

**9.** *vêm; doze; treze; vens; costas; viemos; só; céu; vêem; traz; faca; Sé.*

**11.**

Diálogo 1.
*podia*
*siga*
*em*
*por*
*vire*
*à*
*desça*
*até*
*lado*
*fica*
*ao*

Diálogo 2.
*gostaste*
*de*
*Adorei*
*foste*
*fui*
*fez*
*tive*
*deu*
*fez*
*68*
*dá*
*parabéns*

## UNIDADE DE REVISÃO 4

**1.**

1. - *Não o atendas!*
2. - *Não o envie!*
3. - *Não a ponhas no correio!*
4. - *Não o procure nessa lista!*
5. - *Não lhe telefone!*
6. - *Não o tragas para aqui, por favor!*
7. - *Não as sigas!*
8. - *Não o preencha por favor!*
9. - *Não lhes digas os resultados!*
10. - *Não o uses!*

## 2.

1. - *Fiz, fiz.*

2. - *Soube, soube.*

3. - *Dei, dei.*

4. - *Vou, vou.*

5. - *Pus, pus.*

6. - *Li, li.*

7. - *Vim, vim. / Fui, fui.*

8. - *Vi, vi.*

## 3.

1. - *De quem é que todos falaram?*

2. - *Para quem é esta carta?*

3. - *Para onde é que ela ligou?*

4. - *Com quem é que vocês foram ao cinema?*

5. - *A quem é que eles mostraram o anúncio?*

6. - *Até onde é que leste ontem o livro?*

## 4.

*GATO*
*EMIGRANTE*
*TARTARUGA*
*CURRÍCULO*
*INQUÉRITO*

## 5.

*h); e); c); g); a); d); f); b)*

## 6.

*No sábado passado não* <u>trabalhei</u>. *Por isso,* <u>levantei-me</u> *um pouco mais tarde e* <u>tomei</u> *o pequeno-almoço calmamente. Depois, saí de casa e* <u>fui</u> *para o ginásio. Lá,* <u>encontrei-me</u> *com a minha amiga Paula.* <u>Despimo-nos</u>, <u>vestimos</u> *os nossos fatos de ginástica e durante uma hora* <u>fizemos</u> *aeróbica. Quando* <u>acabámos</u> *a aula,* <u>almoçámos</u> *juntas no restaurante do ginásio. À tarde* <u>fomos</u> *ao cinema,* <u>passeámos</u> *pelo centro comercial e* <u>vimos</u> *as montras. Ao fim da tarde,* <u>voltámos</u> *para casa, mas à noite* <u>encontrámo</u>-nos *com os nossos amigos para uma noite divertida.*

## 7.

*Antigamente não* <u>trabalhava</u>. *Por isso* <u>levantava-me</u> *um pouco mais tarde e* <u>tomava</u> *o pequeno-almoço calmamente. Depois,* <u>saía</u> *de casa e ia para o ginásio. Lá,* <u>encontrava-me</u> *com a minha amiga Paula.* <u>Despíamo-nos</u>, <u>vestíamos</u> *os nossos fatos de ginástica e durante uma hora* <u>fazíamos</u> *aeróbica. Quando* <u>acabávamos</u> *a aula,* <u>almoçávamos</u> *juntas no restaurante do ginásio. À tarde* <u>íamos</u> *ao cinema,* <u>passeávamos</u> *pelo centro comercial e* <u>víamos</u> *as montras. Ao fim da tarde,* <u>voltávamos</u> *para casa, mas à noite* <u>encontrávamo</u>-nos *com os nossos amigos para uma noite divertida.*

## 8.

1. - *O salário de um médico é melhor do que o (salário) de uma recepcionista.*

2. - *Eles trabalham tantas horas por dia como eu.*

3. - *Esta rua é tão barulhenta como aquela.*

4. - *A minha vizinha de cima fala tanto como o porteiro.*

5. - *O filme que eu vi ontem era maior do que o (filme) que nós vimos no sábado passado.*

## 9.

1. *e)*

2. *b)*

3. *a)*

4. *f)*

5. *c)*

6. *d)*

## 10.

*decidido*
*interessante*
*impaciente*
*seguro*
*lento*
*bonito*

# GLOSSÁRIO

| PORTUGUÊS | DEUTSCH | ENGLISH | ESPAÑOL | FRANÇAIS |
|---|---|---|---|---|
| abrir | aufmachen, (er)öffnen | to open | abrir | ouvrir |
| acabar | aufhören, beenden | to finish | acabar | terminer |
| acampar | zelten | to camp | acampar | camper |
| acção (a) | die Handlung | action | acción | action |
| aceitar | annehmen, zulassen | to accept | aceptar | accepter |
| achar | glauben, finden | to find, to think | pensar | penser, trouver |
| acontecimento (o) | das Ereignis | event | acontecimiento | événement |
| acordar | aufwachen, wecken | to wake up | despertarse | se réveiller |
| acreditar | glauben | to believe | creer | croire |
| activo | aktiv | active | activo | actif |
| actuar | wirken , handeln | to act | actuar | agir, jouer (théâtre) |
| açúcar (o) | der Zucker | sugar | azúcar | sucre |
| adaptação (a) | die Anpassung | adaptation | adaptación | adaptation |
| adequado | angemessen | appropriate | adecuado | adéquat |
| admitir | zulassen | to admit | admitir | admettre |
| adorar | sehr toll finden | to love | adorar | adorer |
| advogado (o) | der Rechtsanwalt | lawyer | abogado | avocat |
| aeróbica | die Aerobik | aerobics | aeróbica | aérobic |
| afiado | scharf | sharp | afilado | aiguisé, taillé |
| aficionado | der Liebhaber, Fan | fan | aficionado | amateur, passionné |
| afinal | also, nun, schließlich | after all | al final | enfin |
| agarrar | greifen, nehmen | to catch | agarrar | attraper, saisir |
| agenda (a) | der Taschen-kalender | diary | agenda | agenda |
| agente (o) | der Agent | agent | agente | agent |
| agir | wirken | to act | actuar | agir |
| agora | jetzt | now | ahora | maintenant |
| agradável | angenehm | pleasant | agradable | agréable |
| agradecer | danken | to thank | agradecer | remercier |
| agricultor (o) | der Landwirt | farmer | agricultor | agriculteur |
| água (a) | das Wasser | water | agua | eau |
| aguentar | ertragen, aushalten | to stand | aguantar | supporter |
| ainda | noch | still, yet | todavía | encore |
| ajuda (a) | die Hilfe | help | ayuda | aide |
| ajudar | helfen | to help | ayudar | aider |
| alcoólico | alkoholisch | alcoholic | alcohólico | alcoolique, alcoolisé |
| aldeia (a) | das Dorf | village | pueblo | village |
| alegre | froh | happy | alegre | joyeux |
| alemão | deutsch, Deutscher | German | alemán | allemand |
| algo | etwas | something | algo | quelque chose |
| algodão (o) | die Baumwolle | cotton | algodón | coton |
| alguém | jemand | someone | alguien | quelqu'un |
| algum/a/ns/as | irgend(ein), einige | some | alguno | quelque |
| ali | dort | there | allí | là-bas |

# GLOSSÁRIO

| PORTUGUÊS | DEUTSCH | ENGLISH | ESPAÑOL | FRANÇAIS |
|---|---|---|---|---|
| almoçar | zu Mittag essen | to have lunch | comer (mediodía) | déjeuner |
| almoço (o) | das Mittagessen | lunch | comida (mediodía) | déjeuner |
| alto | gross, hoch | high, tall | alto | haut |
| alugar | mieten, vermieten | to rent, to hire | alquilar | louer |
| amanhã | morgen | tomorrow | mañana | demain |
| ambos | beide | both | ambos | les deux |
| americano | amerikanisch, Amerikaner | American | americano | américain |
| amigo (o) | der Freund | friend | amigo | ami |
| amor (o) | die Liebe | love | amor | amour |
| análise (a) | die Analyse | analysis | análisis | analyse |
| andar | gehen, laufen | to walk | andar | marcher |
| anexo | beiliegend | attached | anexo | annexe |
| animal (o) | das Tier | animal | animal | animal |
| animar | beleben | to cheer up | animar | animer |
| aniversário (o) | der Geburtstag | birthday, anniversary | | cumpleaños anniversaire |
| ano (o) | das Jahr | year | año | an |
| anteontem | vorgestern | the day before yesterday | anteayer | avant-hier |
| antigamente | vormals, früher | in past times | antaño | autrefois |
| antigo | alt | old, former | antiguo | ancien |
| antipático | unsympathisch | unpleasant | antipático | antipathique |
| apanhar | nehmen, erwischen | to catch | coger | prendre, attraper |
| apartamento (o) | die Wohnung | flat | piso | appartement |
| apenas | nur, kaum | only, just | apenas | seulement |
| apreciar | geniessen | to appreciate | apreciar | apprécier |
| aprender | lernen | to learn | aprender | apprendre |
| apresentação (a) | die Vorstellung | introduction | presentación | présentation |
| apresentar-se | sich vorstellen | to introduce | presentarse | se présenter |
| aproveitar | (aus)nutzen | to profit | aprovechar | profiter |
| aqui | hier | here | aquí | ici |
| aquilo | jenes, jener, jene | that | aquello | ça (là-bas) |
| ar (o) | die Luft | air | aire | air |
| aranha (a) | die Spinne | spider | araña | araignée |
| areia (a) | der Sand | sand | arena | sable |
| arena (a) | die Arena | arena | arena | arène |
| argumentação (a) | die Beweisführung Argumentation | argumentation | argumentación | argumentation |
| argumento (o) | der Beweisgrund, das Argument | argument | argumento | argument, scénario |
| armado | gerüstet, bewaffnet | armed | armado | armé |
| arquitectura (a) | die Architektur | architecture | arquitectura | architecture |
| arranjar | besorgen, reparieren | to fix, to get | arreglar | réparer, trouver |

# GLOSSÁRIO

| PORTUGUÊS | DEUTSCH | ENGLISH | ESPAÑOL | FRANÇAIS |
|---|---|---|---|---|
| arranjar-se | sich zurechtmachen | to get ready | arreglarse | se préparer |
| arredores (os) | die Umgebung | surroundings | alrededores | environs |
| arrogante | arrogant | arrogant | arrogante | arrogant |
| arroz (o) | der Reis | rice | arroz | riz |
| arrumação (a) | das Aufräumen | neatness, tidiness | arreglo | rangement |
| arrumar | aufräumen | to tidy up | arreglar, ordenar | ranger |
| arte (a) | die Kunst | art | arte | art |
| artigo | der Artikel | article | artículo | article |
| árvore (a) | der Baum | tree | árbol | arbre |
| aspecto (o) | das Aussehen, der Aspekt | look | aspecto | aspect |
| aspirar | saugen | to suck | aspirar | aspirer |
| assado | gebraten | roasted | asado | rôti |
| assim | so | so, thus, like this | así | ainsi |
| assinalado | bezeichnet, markiert | marked | señalado | signalé |
| assinar | unterschreiben | to sign | firmar | signer |
| assinatura (a) | die Unterschrift | signature | firma | signature |
| assistir | zuschauen, beiwohnen | to watch, to attend | asistir | assister |
| assunto | das Thema | subject | asunto | thème |
| até | bis | until | hasta | jusque |
| atendedor automático | die Antwortende maschine | answering machine | contestador automático | répondeur automatique |
| atender | antworten (das Telefon) | to answer (the phone) | coger (teléfono) | répondre (téléphone) |
| atirar | werfen | to throw | lanzar | lancer |
| atrasado | verzögert | delayed | retrasado | en retard |
| atravessar | überqueren | to cross | cruzar | traverser |
| aula (a) | die Lektion | lesson | clase | cours |
| auscultar | abhorchen, abhören | to auscultate | auscultar | ausculter |
| autocarro (o) | der Autobus, Bus | bus | autobús | autobus |
| auto-estrada (a) | die Autobahn | highway | autopista | autoroute |
| auxílio (o) | das Hilfsmittel, die Hilfe | aid | auxilio | secours, aide |
| avariado | beschädigt | damaged | averiado, estropeado | en panne |
| avariar | beschädigen | to damage | averiarse, estropearse | tomber en panne |
| avenida (a) | die Allee | avenue | avenida | avenue |
| avião (o) | das Flugzeug | plane | avión | avion |
| avó (a) | die Grossmutter | grandmother | abuela | grand-mère |
| avô (o) | der Grossvater | grandfather | abuelo | grand-père |
| azulejo (o) | die Fliese | tile | azulejo | carreau de faïence |
| bacalhau (o) | der Stockfisch | codfish | bacalao | morue |
| bailado (o) | das Ballett | ballet | baile | ballet, danse |

# GLOSSÁRIO

| PORTUGUÊS | DEUTSCH | ENGLISH | ESPAÑOL | FRANÇAIS |
|---|---|---|---|---|
| bainha (a) | das Saum | hem | dobladillo | ourlet |
| baixo | klein, niedrig | small, short, low | bajo | bas |
| balão (o) | der Luftballon | balloon | balón | ballon |
| banco (o) | die Bank | bank | banco | banque, banc |
| banheira (a) | die Badewanne | bathtub | bañera | baignoire |
| bar (o) | die Bar | bar | bar | bar |
| barato | billig | cheap | barato | bon marché |
| barba (a) | der Bart | beard | barba | barbe |
| bárbaro | barbarisch | barbarous | bárbaro | barbare |
| barco (o) | das Schiff, Boot | boat, ship | barco | bateau |
| barriga (a) | der Bauch | stomach, belly | barriga, tripa | ventre |
| barulhento | laut | noisy | ruidoso | bruyant |
| barulho (o) | der Lärm, Krach | noise | ruido | bruit |
| basquetebol (o) | der Basketball | basketball | baloncesto | basket-ball |
| bastante | ziemlich viel, genug | sufficient, enough | bastante | assez |
| batatas fritas (as) | Pommes frites | chips, french fried potatoes | patatas fritas | frites, chips |
| beber | trinken | to drink | beber | boire |
| bebida (a) | das Getränk | drink | bcbida | boisson |
| beijinho (o) | das Küsschen | kiss | besito | bisou |
| beijo (o) | der Kuss | kiss | beso | bise |
| beleza (a) | die Schönheit | beauty | belleza | beauté |
| belga | belgisch, Belgier (-in) | Belgian | belga | belge |
| bem | gut (adv.) | well | bien | bien |
| biblioteca (a) | die Bibliothek, Bücherei | library | biblioteca | bibliothèque |
| bica (a) | der Kaffee (Expresso) | Expresso (coffee) | café solo | expresso (café) |
| bicicleta (a) | das Fahrrad | bicycle | bicicleta | vélo |
| bife (o) | das Steak | steak | filete | steack |
| bigode (o) | der Schnurrbart | moustache | bigote | moustache |
| bilhete (o) | die Eintritt, Fahrkarte | ticket | billete | billet |
| bilhete de identidade (o) | der Personalausweis | Identity card | carné de identidad | carte d'identité |
| biquini (o) | der Bikini | bikini | bikini | bikini |
| blusão (o) | die Jacke | jacket | cazadora | blouson |
| boca (a) | der Mund | mouth | boca | bouche |
| bola (a) | der Ball | ball | pelota | balle, ballon |
| bolo (o) | der Kuchen | cake | bollo | gâteau |
| bom | gut | good | bueno | bon |
| bombeiro (o) | der Feuerwehrmann | fireman | bombero | pompier |
| boneca (a) | die Puppe | doll | muñeca | poupée |
| boneco (o) | die Puppe, Figur | doll | muñeco | (petit) bonhomme |
| bonito | schön | beautiful | bonito | beau, joli |
| borracha (a) | der Radiergummi | rubber | goma | gomme |
| botas (as) | die Stiefel | boots | botas | bottes |
| braço (o) | der Arm | arm | brazo | bras |

# GLOSSÁRIO

| PORTUGUÊS | DEUTSCH | ENGLISH | ESPAÑOL | FRANÇAIS |
|---|---|---|---|---|
| brasileiro | brasialianisch, Brasilianer | Brazilian | brasileño | brésilien |
| brilhar | glänzen | to shine | brillar | briller |
| brincar | spielen (mit Spielzeug), Spass machen | to play, to joke | jugar, bromear | jouer |
| brinquedo (o) | das Spielzeug | toy | juguete | jouet |
| cá | hier | here | aquí | ici |
| cabeça (a) | der Kopf | head | cabeza | tête |
| cabelo (o) | das Haar | hair | cabello, pelo | cheveu |
| caça (a) | die Jagd | hunting | caza | chasse |
| cachecol (o) | das Halstuch | scarf | bufanda | écharpe |
| cada | jede/r/s | each, every | cada | chaque |
| cadeira (a) | der Stuhl | chair | silla | chaise |
| caderno (o) | das Heft | notebook | cuaderno | cahier |
| café (o) | der Kaffee | coffee | café | café |
| cafetaria (a) | das Kaffeehaus, die Kafeteria | coffee shop | cafetería | cafétéria |
| cair | fallen | to fall | caer | tomber |
| caixa (a) | die Kasse, Schachtel | box | caja | caisse |
| calado | still, schweigend | silent, quiet | callado | silencieux (personne) |
| calças (as) | die Hose | trousers | pantalón | pantalon |
| calças de ganga (as) | die Jeans | jeans | vaqueros | jeans |
| calções (os) | die Kniehosen, Shorts | shorts | calzoncillos, pantalón corto | caleçon, short |
| calmamente | langsam | quietly | tranquilamente | calmement |
| calmo | ruhig | calm | tranquilo | calme |
| calor (o) | die Hitze | heat | calor | chaleur |
| cama (a) | das Bett | bed | cama | lit |
| cambiar | wechseln | to change, to exchange | cambiar | changer |
| caminhar | gehen, wandern | to walk | caminar | marcher |
| caminho (o) | der Weg | way, path | camino | chemin |
| camioneta (a) | der Bus | bus | (camioneta), autobús | camionette, autocar |
| camisa (a) | das Hemd | shirt | camisa | chemise |
| camisa de dormir (a) | das Nachthemd | nightgown, nightdress | camisón | chemise de nuit |
| camisola (a) | der Pullover | sweater | jersey | pull-over |
| campismo (o) | das Zelten, camping | camping | camping | camping |
| campo (o) | das Land, Feld | field | campo | campagne |
| candeeiro (o) | die Lampe | lamp | lámpara | lampe |
| candidato (o) | der Bewerber | candidate | candidato | candidat |
| cansado | müde | tired | cansado | fatigué |
| cão (o) | der Hund | dog | perro | chien |
| capa (a) | das Überwurf, der Buch-umschlag | cape, book cover | capa | couverture (revue) |
| capaz | fähig | capable, able | capaz | capable |

# GLOSSÁRIO

| PORTUGUÊS | DEUTSCH | ENGLISH | ESPAÑOL | FRANÇAIS |
|---|---|---|---|---|
| cara (a) | das Gesicht | face | cara | visage |
| carácter (o) | die Art, der Charakter | character | carácter | caractère |
| cardiologista (o/a) | der Herzspezialist | cardiologist | cardiólogo | cardiologue |
| careca | kahl(-köpfig) | bald | calvo | chauve |
| caro | teuer | expensive | caro | cher |
| carpete (a) | der Teppich | carpet | alfombra | tapis |
| carpinteiro (o) | der Schreiner | carpenter | carpintero | menuisier |
| carrinha (a) | klein Kraftwagen | small lorry | furgoneta | fourgonette |
| carro (o) | das Auto | car | coche | voiture |
| carta (a) | der Brief | letter | carta | lettre |
| cartão (o) | die Karte | card | tarjeta | carte |
| cartaz (o) | das Plakat | placard | cartel | affiche |
| carteira (a) | die Brieftasche | wallet | cartera | portefeuille |
| casa (a) | das Haus | house, home | casa | maison |
| casa de banho (a) | das Badezimmer | bathroom | cuarto de baño, aseos | salle-de-bains, toilettes |
| casaco (o) | die Jacke, das Jackett | coat | chaqueta | veste |
| casado | verheiratet | married | casado | marié |
| casal (o) | das (Ehe)Paar | couple | pareja | couple |
| casamento (o) | die Hochzeit | wedding, marriage | boda | mariage |
| casar-se | heiraten | to marry | casarse | se marier |
| cavaleiro (o) | der Reiter | rider | jinete | cavalier |
| cavalo (o) | das Pferd | horse | caballo | cheval |
| cedo | früh | early | temprano | tôt |
| ceia (a) | Imbiss am späten Abend | supper | cena | souper |
| central | zentral | central | central | central |
| centro (o) | das Zentrum | centre | centro | centre |
| centro comercial (o) | das Einkaufs-Zentrum | shopping centre, shopping mall | centro comercial | centre commercial |
| cereais (os) | das Getreide, Cerealien | cereals | cereales | céréales |
| certeza (a) | die Sicherheit | certainty | certeza | certitude |
| certo | richtig, bestimmt | true, right, certain | cierto | certain, exact |
| cesto de papéis (o) | der Papierkorb | wastepaper-basket | papelera | corbeille à papiers |
| céu (o) | der Himmel | sky, heaven | cielo | ciel |
| chá (o) | der Tee | tea | té, infusión | thé, infusion |
| chamada (a) | der Anruf, Aufruf | call | llamada | appel |
| chamar-se | heissen | to be called | llamarse | s'appeler |
| chão (o) | der Fussboden, Boden | floor | suelo | sol |
| chateado | verärgert, sauer | annoyed | enfadado | fâché |
| chato | langweilig, fad | annoying | pesado | pénible |
| chave (a) | der Schlüssel | key | llave | clé |
| chávena (a) | die Tasse | cup | taza | tasse |
| chegada (a) | die Ankunft | arrival | llegada | arrivée |
| chegar | ankommen | to arrive | llegar | arriver |

# GLOSSÁRIO

| PORTUGUÊS | DEUTSCH | ENGLISH | ESPAÑOL | FRANÇAIS |
|---|---|---|---|---|
| cheio | voll | full | lleno | plein |
| cheque (o) | der Scheck | cheque | cheque | chèque |
| chinês | chinesisch, Chinese | Chinese | chino | chinois |
| chocolate (o) | die Schokolade | chocolate | chocolate | chocolat |
| chover | regnen | to rain | llover | pleuvoir |
| cidade (a) | die Stadt | city | ciudad | ville |
| cigarro (o) | die Zigarette | cigarette | cigarrillo | cigarette |
| cinema (o) | das Kino | cinema | cine | cinéma |
| cinto (o) | der Gürtel | belt | cinturón | ceinture |
| claro | hell, klar | light, of course | claro | clair, bien sûr |
| cliente (o/a) | der Kunde | client | cliente | client |
| cobra (a) | die Schlange | snake | serpiente | serpent |
| coelho (o) | das Kaninchen | rabbit | conejo | lapin |
| coisa (a) | das Ding, die Sache | thing | cosa | chose |
| colega (a/o) | der Kollege | colleague | compañero | collègue |
| colégio (o) | die Privatschule | school | colegio | collège |
| colher (a) | der Löffel | spoon | cuchara | cuillère |
| colocar | auflegen, aufstellen | to put | colocar | mettre |
| colorido | farbig, bunt | coloured | colorido | coloré |
| com | mit | with | con | avec |
| combinar | sich verabreden | to arrange, to fix a date | quedar | prendre rendez-vous |
| comboio (o) | der Zug | train | tren | train |
| começar | anfangen | to begin | empezar | commencer |
| comentário (o) | der Kommentar | commentary | comentario | commentaire |
| comer | essen | to eat | comer | manger |
| comida (a) | das Essen | food | comida | nourriture |
| cómoda (a) | die Kommode | chest of drawers | cómoda | commode |
| companhia (a) | die Gesellschaft, Begleitung | company | compañía | compagnie |
| comparar | vergleichen | to compare | comparar | comparer |
| comparável | vergleichbar | comparable | comparable | comparable |
| completamente | völlig | completely | completamente | complètement |
| completar | ergänzen | to complete | completar | compléter |
| completo | ganz, vollständig, komplett | complete | completo | complet |
| complicado | schwierig, kompliziert | difficult | complicado | compliqué |
| comprar | kaufen | to buy | comprar | acheter |
| compras (as) | die Einkäufe | shopping | compras | achats, courses |
| compreender | verstehen | to understand | entender | comprendre |
| comprimido | die Tablette | pill | | |
| computador (o) | der Computer | computer | ordenador | ordinateur |
| comunhão (a) | die Kommunion | communion | comunión | communion |
| comunicativo | gesellig, redselig, mitteilsam | open | comunicativo | communicatif |
| concentrar-se | sich vertiefen, konzentrieren | to concentrate, to focus | concentrarse | se concentrer |
| concerto (o) | das Konzert | concert | concierto | concert |

# GLOSSÁRIO

| PORTUGUÊS | DEUTSCH | ENGLISH | ESPAÑOL | FRANÇAIS |
|---|---|---|---|---|
| concretamente | konkret | specifically | concretamente | concrètement |
| conduzir | führen, lenken, leiten | to drive | conducir | conduire |
| conferência (a) | die Konferenz | conference | conferencia | conférence |
| confirmar | bestätigen | to confirm | confirmar | confirmer |
| congresso (o) | der Kongress | congress, meeting | congreso | congrès |
| conhecer | kennen, kennenlernen | to know, to meet | conocer | connaître |
| conhecimento (o) | die Kenntnis, das wissen | knowledge | conocimiento | connaissance |
| conjunto (o) | die Gesamtheit, die Gruppe | the whole, band | conjunto | ensemble |
| conquista (a) | die Eroberung | conquest | conquista | conquête |
| conseguir | schaffen, gelingen | to be able to, to manage | conseguir | réussir, arriver à |
| conselho (o) | der Rat | advise | consejo | conseil |
| conservar | erhalten, aufbewahren | to keep, to maintain | conservar | conserver |
| consultar | konsultieren, besuchen (arzt) | to consult | consultar | consulter |
| consultório (o) | die (Arzt) Praxis | consulting room (MD) | consultorio | cabinet |
| conta (a) | die Rechnung, das Konto | bill | cuenta | compte, addition |
| conta à ordem (a) | das Girokonto | current account | cuenta corriente | compte courant |
| conta a prazo (a) | das Sparkonto, Festgeldkonto | fixed deposit account | cuenta a plazo | compte à terme |
| contar | (er)zählen | to tell, to count | contar | compter |
| continente (o) | der Kontinent | continent | continente | continent |
| continuar | fortsetzen, fortfahren | to go on | seguir | continuer |
| contra | gegen | against | contra | contre |
| convencer | überzeugen | to convince | convencer | convaincre |
| conversa (a) | das Gespräch, die Unterhaltung | conversation, talk | conversación | conversation |
| conversar | sich unterhalten | to talk | charlar | bavarder |
| convidar | einladen | to invite | invitar | inviter |
| convite (o) | die Einladung | invitation | invitación | invitation |
| convívio (o) | die Geselligkeit | social intercourse | convivencia | convivialité |
| copo (o) | das Glas | glass | vaso | verre |
| copo de água (o) | das Glas Wasser | glass of water | vaso de agua | verre d'eau |
| cor (a) | die Farbe | colour | color | couleur |
| coração (o) | das Herz | heart | corazón | cœur |
| coragem (a) | der Mut | courage | valor, coraje | courage |
| corajoso | mutig | courageous | valiente | courageux |
| corpo (o) | der Körper | body | cuerpo | corps |
| correcto | richtig | right | correcto | correct |
| corredor (o) | der Flur | corridor | pasillo | couloir |
| correio (o) | die Post, das Postamt | post, post-office | correo | courrier |

# GLOSSÁRIO

| PORTUGUÊS | DEUTSCH | ENGLISH | ESPAÑOL | FRANÇAIS |
|---|---|---|---|---|
| Correios (os) | das Postamt | post-office | Correos | Poste |
| correr | laufen, rennen | to run | correr | courir |
| cortar | schneiden, abbiegen | to cut | cortar | couper |
| costa (a) | die Küste | coast | costa | côte |
| costas (as) | der Rücken | back | espalda | dos |
| costumar | gewöhnlich etwas tun | to have the habit of | soler | avoir l'habitude |
| cotovelo (o) | der Ellbogen | elbow | codo | coude |
| cozido | gekocht | cooked | cocido | cuit / pot-au--feu |
| cozinha (a) | die Küche | kitchen | cocina | cuisine |
| cozinhar | kochen | to cook | cocinar | cuisiner |
| cozinheiro (o) | der Koch | cook | cocinero | cuisinier |
| crédito (o) | das Kredit | credit | crédito | crédit |
| criança (a) | das Kind | child | niño | enfant |
| criticar | kritisieren | to criticize | criticar | critiquer |
| cruzamento (o) | die Kreuzung | intersection (of two roads) | cruce | croisement |
| cruzeiro (o) | die Kreuzfahrt (-schiff) | cruise | crucero | croisière |
| culpa (a) | die Schuld | guilt | culpa | faute |
| cultura (a) | die Kultur | culture | cultura | culture |
| cunhado (o) | der Schwager | brother-in-law | cuñado | beau-frère |
| currículo (o) | Lebenslauf | curriculum | curriculum vitae | curriculum vitae |
| curso (o) | das Studium, der Kurs | course | curso | cours |
| curto | kurz | short | corto | court |
| dantes | damals, früher | formerly | antaño | autrefois |
| dar | geben | to give | dar | donner |
| decidido | energisch, entschieden | determined, decided | decidido | décidé |
| decidir | entscheiden | to decide | decidir | décider |
| decorar | dekorieren, auswendig lernen | to decorate, to learn by heart | decorar, memorizar | décorer |
| dedo (o) | der Finger | finger | dedo | doigt |
| degrau (o) | die Stufe | step | escalón | marche |
| deixar | lassen | to let, to leave | dejar | laisser, quitter |
| dela | ihr | her | de ella | à elle |
| demasiado | zu viel | too much | demasiado | trop |
| dente (o) | der Zahn | tooth | diente | dent |
| dentista (o/a) | der Zahnarzt | dentist | dentista | dentista |
| depender | abhängen | to depend on or upon | depender | dépendre |
| depois | danach | after | después | après |
| depositar | deponieren, einreichen | to deposit | depositar | déposer |
| depressa | schnell | quickly | deprisa | vite |
| dermatologista (o/a) | der Hautarzt | dermatologist | dermatólogo | dermatologue |
| desarrumado | durcheinander, unaufgeräumt | untidy | desordenado | dérangé |

# GLOSSÁRIO

| PORTUGUÊS | DEUTSCH | ENGLISH | ESPAÑOL | FRANÇAIS |
|---|---|---|---|---|
| descansar | sich ausruhen | to relax | descansar | se reposer |
| descapotável | Kabrio | convertible | descapotable | décapotable |
| descer | hinuntergehen | to go down | bajar | descendre |
| descobridor (o) | der Entdecker | discoverer | descubridor | découvreur |
| descobrir | entdecken | to discover | descubrir | découvrir |
| descrição (a) | die Beschreibung | description | descripción | description |
| desde | seit | since | desde | depuis |
| desejar | wünschen | to want, to wish | desear | désirer, souhaiter |
| desenvolver | entwickeln | to develop | desarollar | développer |
| desenvolvido | entwickelt | developed | desarollado | développé |
| desigualdade (a) | die Ungleichheit | difference | desigualdad | inégalité |
| deslocação (a) | die Reise, (die Ortsveränderung) | displacement | desplazamiento | déplacement |
| despedida (a) | der Abschied | farewell | despedida | adieux |
| desportivo | sportlich | sportive | deportista | sportif |
| desporto (o) | der Sport | sport | deporte | sport |
| desvantagem (a) | der Nachteil | disadvantage | desventaja | désavantage |
| dever | sollen, müssen | must/to have to | deber | devoir |
| dia (o) | der Tag | day | día | jour, journée |
| diário | täglich | daily | diario | quotidien |
| dicção (a) | die Sprechweise | diction | dicción | diction |
| dicionário (o) | das Wörterbuch | dictionary | diccionario | dictionnaire |
| diferente | verschieden | different | diferente | différent |
| difícil | schwer, schwierig | difficult | difícil | difficile |
| dinheiro (o) | das Geld | money | dinero | argent |
| director (o) | der Direktor | manager | director | directeur |
| dirigente (o) | der Führer | leader | dirigente | dirigeant |
| disco (o) | die Platte | disc, record | disco | disque |
| discoteca (a) | die diskothek | disco | discoteca | discothèque |
| discriminação (a) | die Unterscheidung, Diskriminierung | discrimination | discriminación | discrimination |
| discurso (o) | die Rede | speach | discurso | discours |
| disponibilidade (a) | die Verfügbarkeit | availability | disponibilidad | disponibilité |
| distrair | zerstreuen, unterhalten | to distract, to amuse | distraer | distraire |
| ditado (o) | das Diktat, das Sprichwort | dictation, proverb | dictado | dictée |
| divertido | lustig, unterhaltsam | funny | divertido | amusant |
| divertir-se | sich unterhalten, vergnügen | to amuse | divertirse | s'amuser |
| dividir | teilen, aufteilen | to divide | dividir | diviser |
| divorciado | geschieden | divorced | divorciado | divorcé |
| dizer | sagen | to say, to tell | decir | dire |
| doca (a) | das Dock | dock | dársena | bassin, le quais |
| doce | süss | sweet | dulce | sucré, doux |
| doença (a) | die Krankheit | illness, disease | enfermedad | maladie |
| doer | weh tun, schmerzen | to ache, to hurt, to be painful | doler | faire mal |

# GLOSSÁRIO

| PORTUGUÊS | DEUTSCH | ENGLISH | ESPAÑOL | FRANÇAIS |
|---|---|---|---|---|
| doméstico | Haus..., häuslich | domestic | doméstico | domestique |
| dominar | beherrschen | to dominate | dominar | dominer |
| dona de casa (a) | die Hausfrau | housewife | ama de casa | maîtresse de maison |
| dormir | schlafen | to sleep | dormir | dormir |
| dose (a) | die Portion | portion | dosis | dose |
| dossier (o) | der Ordner, die Akte | file | carpeta | dossier, classeur |
| duche (o) | die Dusche | shower | ducha | douche |
| durante | während | during, for | durante | pendant |
| economia (a) | die Wirtschaft | economy | economía | économie |
| económico | wirtschaftlich, sparsam, billig | economical, saving | económico | économique |
| economista (a/o) | der Wirtschafts--wissenschaftler | economist | economista | économiste |
| educadora de infância (a) | die Kindergärtnerin | infant school teacher | puericultora | puéricultrice, maîtress |
| educar | erziehen | to bring up, to educate | educar | éduquer |
| ela | sie | she | ella | elle |
| ele | er | he | él | il |
| eléctrico (o) | die Strassenbahn | tram | tranvía | tramway |
| electrocardiograma (o) | das Elektro--kardiogramm | electro-cardiogram | electrocardiogra-ma | électrocardio-gramme |
| elegância (a) | die Eleganz | elegance | elegancia | élégance |
| elemento (o) | das Element | element | elemento | élément |
| emagrecer | abmagern, abnehmen | to lose weight | adelgazar | maigrir |
| emigrante (o) | der Auswanderer | emigrant | emigrante | émigrant |
| empregado (o) | der Angestellte | employee | empleado | employé |
| empregado de mesa (o) | der Kellner | waiter | camarero | garçon de café |
| emprego (o) | die Arbeit, die Stelle | job | empleo | emploi |
| empresa (a) | der Betrieb, Firma | company | empresa | entreprise |
| emprestar | ausleihen | to lend, to loan | prestar | prêter |
| empurrar | zurückstossen, stossen | to push | empujar | pousser |
| encaracolado | lockig | curly | rizado | bouclé |
| encher (-se) | (an-;aus-;er-) füllen | to fill, (to get full) | llenar(se) | (se) remplir |
| encomenda (a) | der Auftrag, die Bestellung | order, parcel | encargo | commande |
| encomendar | bestellen | to order | encargar | commander |
| encontrar-se | sich treffen | to meet someone | encontrarse | se rencontrer, se retrouver |
| endereço (o) | die Anschrift, Adresse | address | dirección | adresse |
| enfermeiro (o) | der Krankenpfleger | nurse | enfermero | infirmier |
| enganar | betrügen | to deceive, to trick | engañar | tromper |
| engenheiro (o) | der Ingenieur | engineer | ingeniero | ingénieur |
| engordar | dick werden, zunehmen | to fatten | engordar | grossir |
| enorme | riesig | huge | enorme | énorme |

# GLOSSÁRIO

| PORTUGUÊS | DEUTSCH | ENGLISH | ESPAÑOL | FRANÇAIS |
|---|---|---|---|---|
| enquanto | während, solange | while | mientras | pendant que, alors que |
| então | dann, nun, also | so, then | entonces | alors |
| entre | zwischen | between, among | entre | entre |
| entregar | abgeben, (ab)liefern | to deliver | entregar | livrer, rendre |
| entretanto | indessen, unterdessen | meanwhile | entretanto | entre-temps |
| entrevista (a) | das Interview | meeting, interview | entrevista | entrevue |
| envelope (o) | der Umschlag | envelope | sobre | enveloppe |
| enviar | senden, schicken | to send | enviar | envoyer |
| época (a) | die Epoche, Saison | season | época, temporada | époque |
| errado | falsch | wrong | erróneo | faux |
| erro (o) | der Fehler | mistake | error | erreur |
| escadas (as) | die Treppen | stairs | escaleras | escaliers |
| escola (a) | die Schule | school | escuela | école |
| escola secundária (a) | die Mittelschule | secondary school | instituto | lycée |
| escrever | schreiben | to write | escribir | écrire |
| escritório (o) | das Büro | office | oficina | bureau |
| escuro | dunkel | dark | oscuro | obscur, foncé |
| escuteiro (o) | der Pfadfinder | scout | scout | scout |
| espanhol | spanisch, Spanier | Spanish | español | espagnol |
| especial | besonders | special | especial | spécial |
| espécie (a) | die Sorte, Spezie | sort, kind | especie | espèce |
| espectáculo (o) | die Vorstellung | show | espectáculo | spectacle |
| espelho (o) | der Spiegel | mirror | espejo | miroir |
| esperar (por) | warten auf | to wait for | esperar | attendre |
| espetar | aufspiessen | to spit | pinchar, clavar | piquer, enfoncer |
| espírito (o) | der Sinn | spirit | espíritu | esprit |
| esplanada (a) | das Straßencafé | esplanade | terraza | terrasse |
| esquecer-se de | etwas vergessen | to forget | olvidarse | oublier |
| esqui (o) | der Ski | ski | esquí | ski |
| esquisito | ausgefallen, komisch, merkwürdig | strange | raro, extraño | étrange, bizarre |
| essencialmente | wesentlich, hauptsächlich | essentially | esencialmente | essentiel-lement |
| esta | diese, die hier | this | esta | cette |
| estação (a) | der Bahnhof, die Haltestelle | station | estación | gare |
| estação do ano (a) | die Jahreszeit | season | estación del año | saison de l'année |
| estacionar | parken | to park | aparcar | stationner |
| estadia (a) | der Aufenthalt | stay | estancia | séjour |
| estádio (o) | das Stadium | stadium | estadio | stade |
| estado civil (o) | der Zivilstand | civil state | estado civil | état civil |
| estante (a) | das Regal | bookcase | estantería | étagère |
| estar | sein | to be | estar | être |

# GLOSSÁRIO

| PORTUGUÊS | DEUTSCH | ENGLISH | ESPAÑOL | FRANÇAIS |
|-----------|---------|---------|---------|----------|
| estatística (a) | die Statistik | statistics | estatística | statistique |
| este | dieser, der hier | this | este | ce |
| estender | ausbreiten, (aus) strecken, aufhängen | to expand, stretch | tender | étendre |
| estojo (o) | der Etui | set, kit | estuche | étui |
| estômago (o) | der Magen | stomach | estómago | estomac |
| estreito | eng, schmal | narrow | estrecho | étroit |
| estudante (a/o) | der, die Schüler(in), Student | student | estudiante | étudiant |
| estudar | lernen, studieren | to learn, study | estudiar | étudier |
| estudo (o) | das Studium | study | estudio | étude |
| eu | ich | I | yo | je |
| exacto | richtig, genau | correct, right | exacto | exact |
| exame (o) | die Prüfung | examination | examen | examen |
| excelente | ausgezeichnet | excellent | excelente | excellent |
| exercício (o) | die Übung | exercise | ejercicio | exercice |
| exigir | verlangen | to demand | exigir | exiger |
| existente | bestehend | existent, existing | existente | existant |
| êxito (o) | der Erfolg | success | éxito | succès |
| exótico | exotisch | exotic | exótico | exotique |
| experiência (a) | die Erfahrung | experience | experiencia | expérience |
| experimentar | ausprobieren | to try, to experiment | probar | essayer |
| explorador | der Forscher | explorer | explorador | explorateur |
| exposição (a) | die Ausstellung | exhibition | exposición | exposition |
| expressão (a) | der Ausdruck | expression | expresión | expression |
| extrovertido | extrovertiert | extroverted, open | extrovertido | extraverti |
| faca (a) | das Messer | knife | cuchillo | couteau |
| fácil | leicht | easy | fácil | facile |
| factura (a) | die Rechnung | invoice | factura | facture |
| faculdade (a) | die Fähigkeit, die Fakultät | faculty | facultad | faculté |
| falador | schwatzhaft | talkative | hablador | bavard |
| falar | sprechen | to talk, to speak | hablar | parler |
| falecer | sterben | to die | fallecer | décéder |
| faltar | fehlen | not to be present | faltar | manquer |
| família (a) | die Familie | family | familia | famille |
| familiar | familiär, der Verwandte | familiar | familiar | familial, familier |
| famoso | berühmt | famous | famoso | célèbre |
| fantástico | phantastisch | fantastic | fantástico | fantastique |
| farmácia (a) | die Apotheke | chemist's | farmacia | pharmacie |
| fatia (a) | die Scheibe, das Stück | slice | loncha, rodaja | tranche |
| fato (o) | der Anzug | suit | traje | costume |
| fato de banho (o) | der Badeanzug | swimming suit | bañador | maillot de bain |
| fazenda (a) | der Stoff | cloth | tela | étoffe |
| fazer | machen | to do, to make | hacer | faire |
| febre (a) | das Fieber | fever | fiebre | fièvre |

# GLOSSÁRIO

| PORTUGUÊS | DEUTSCH | ENGLISH | ESPAÑOL | FRANÇAIS |
|---|---|---|---|---|
| feira (a) | der Markt, die Messe | market, fair | feria | foire |
| feliz | glücklich | happy | feliz | heureux |
| férias (as) | die Ferien, der Urlaub | holidays | vacaciones | vacances |
| feroz | wild | savage | feroz | féroce |
| festa (a) | das Fest, die Feier | party | fiesta | fête |
| festejar | feiern | to celebrate | festejar | fêter |
| fiambre (o) | der Schinken | ham | jamón | jambon |
| ficar | sich befinden, bleiben, werden | to stay, to remain, to be | quedarse, quedar | rester |
| figura (a) | die Figur | figure, shape, image | figura | figure |
| filho (o) | der Sohn | son | hijo | fils |
| filme (o) | der Film | film | película | film |
| fim (o) | das Ende | end | fin | fin |
| fim-de-semana (o) | das Wochenende | weekend | fin de semana | week-end |
| final (o) | das Ende, das Finale | final | final | fin |
| fixo | fest | fixed, settled | fijo | fixe |
| fofo | weich | soft | blando, mono | moelleux, mignon |
| fogão (o) | der Küchenherd | stove | cocina (objeto) | cuisinière (objet) |
| folha (a) | das Blatt | leaf | hoja | feuille |
| folheto (o) | die Flugschrift, der Prospekt | booklet, leaflet | folleto | dépliant |
| fome (a) | der Hunger | hunger | hambre | faim |
| fora | draussen | out | fuera | dehors |
| formação (a) | die Ausbildung | training, qualifications | formación | formation |
| formulário (o) | das Formular | form | formulario | formulaire |
| francês | französich, Franzose | French | francés | français |
| frango (o) | das Hähnchen | chicken | pollo | poulet |
| franja (a) | die Franse | front | flequillo | frange |
| frequentemente | oft | often | a menudo | souvent |
| fresco | frisch, kühl | fresh | fresco | frais |
| frigorífico (o) | der Kühlschrank | refrigerator | frigorífico, nevera | réfrigérateur |
| frio (o) | kalt | cold | frío | froid |
| fruta (a) | das Obst | fruit | fruta | fruit |
| fumar | rauchen | to smoke | fumar | fumer |
| futebol (o) | Fussball | football | futbol | football |
| gabardina (a) | der Regenmantel | raincoat | gabardina | gabardine |
| gabinete (o) | das Büro | office | despacho | bureau |
| galão (o) | grosser Milchkaffee | a glass of white coffee | café con leche | café au lait |
| ganhar | gewinnen | to win | ganar | gagner |
| garagem (a) | die Garage | garage | garaje | garage |
| garfo (o) | die Gabel | fork | tenedor | fourchette |
| garganta (a) | der Hals | throat | garganta | gorge |

# GLOSSÁRIO

| PORTUGUÊS | DEUTSCH | ENGLISH | ESPAÑOL | FRANÇAIS |
|---|---|---|---|---|
| garrafa (a) | die Flasche | bottle | botella | bouteille |
| gás (o) | das Gas | gas | gas | gaz |
| gastador | der Verschwender | waster, expender | gastador | dépensier |
| gastar | ausgeben, verbrauchen | to spend | gastar | dépenser |
| gato (o) | die Katze | cat | gato | chat |
| genro (o) | der Schwiegersohn | son-in-law | yerno | gendre |
| gente (a) | die Leute | people | (nosotros), gente | on |
| gentil | höflich | polite | gentil, amable | gentil |
| geral | allgemein | general | general | général |
| gesto (o) | die Geste | gesture | gesto | geste |
| ginásio (o) | die Turnhalle, das Fitness-studio | gymnasium | gimnasio | gymnase |
| ginástica (a) | die Gymnastik | gymnastics | gimnasia | gymnastique |
| ginecologista (a/o) | Frauenarzt | gynaecologist | ginecólogo | gynécologue |
| girar | drehen | to turn, to spin | girar | tourner |
| giro | toll, schön, nett, lustig | nice, cute, funny | bonito, mono, guay | joli, mignon |
| gordo | dick | fat | gordo | gros |
| gordura (a) | das Fett | fatness | gordura | graisse |
| gorro (o) | die Mütze | cap | gorro | bonnet |
| gostar (de) | gern haben | to like | querer, gustar | aimer |
| grande | gross | big | grande | grand |
| grátis | unentgeltlich, gratis | free, gratis | gratis | gratuit |
| grelhado | gegrillt | grilled | a la plancha | grillé |
| grupo (o) | die Gruppe | group | grupo | groupe |
| guardanapo (o) | die Serviette | napkin | servilleta | serviette de table |
| guardar | aufbewahren, behalten | to keep | guardar | garder, ranger |
| guerra (a) | der Krieg | war | guerra | guerre |
| guia (a/o) | der/die Reiseleiter(in) | guide | guía | guide |
| guiar | fahren, lenken | to drive | guiar, conducir | guider |
| guitarra (a) | die Guitarre | guitar | guitarra | guitare |
| habilitações (as) | die Kenntnisse, Fähigkeiten | qualifications | aptitudes | aptitudes |
| habitante (a/o) | der Bewohner | inhabitant | habitante | habitant |
| habitual | gewöhnlich | usual | habitual | habituel |
| haver | haben (esgibt) | there to be | haber | y avoir |
| herbívoro | grasfressend | herbivorous | herbívoro | herbivore |
| hoje | heute | today | hoy | aujourd'hui |
| holandês | holländisch, Holländer | Dutch | holandés | holandais |
| homem (o) | der Mann | man | hombre | homme |
| hora (a) | die Uhr, Stunde | hour | hora | heure |
| horror (o) | das Entsetzen | horror, terror | horror | horreur |
| hospital (o) | das Krankenhaus | hospital | hospital | hôpital |
| hotel (o) | das Hotel | hotel | hotel | hôtel |
| ideia (a) | die Idee | idea | idea | idée |
| igreja (a) | die Kirche | church | iglesia | église |
| igual | gleich | equal | igual | égal |

# GLOSSÁRIO

| PORTUGUÊS | DEUTSCH | ENGLISH | ESPAÑOL | FRANÇAIS |
|---|---|---|---|---|
| imobilizar | stillegen | to immobilize | inmovilizar | immobiliser |
| imperial (a) | Pils, das Glas Bier | small beer | caña | impérial |
| imponente | grossartig, eindrucksvoll | majestic | imponente | imposant |
| importante | wichtig | important | importante | important |
| importar | importieren | to import | importar | importer |
| imprescindível | wesentlich | essential | imprescindible | indispensable |
| impressionado | beeindruckt | impressed | impresionado | impressionné |
| impresso | gedruckt | printed | impreso | imprimé |
| incluir | umfassen | to include | incluir | inclure |
| indeciso | zögernd | hesitant | indeciso | indécis |
| indicação (a) | die Anzeige | indication | indicación | indication |
| indicar | anzeigen | to indicate | indicar | indiquer |
| individual | individuell | individual | individual | individuel |
| indolente | lässig | indolent | indolente | indolent |
| influência (a) | der Einfluß | influence | influencia | influence |
| inquérito (o) | die Untersuchung | survey | encuesta | enquête |
| inteligente | einsichtig | intelligent | inteligente | intelligent |
| interessante | interessieren | interesting | interesante | intéressant |
| interessar se (por) | sich interessieren für | to show interest | estar interesado en | s'intéresser |
| internacional | international | international | internacional | international |
| introvertido | introvertiert | introverted, shy | introvertido | introverti |
| investigação (a) | die Forschung, Untersuchung | inquiry, inquest | investigación | recherche |
| iogurte (o) | das Joghurt | yoghurt | yogur | yogourt |
| irmã (a) | die Schwester | sister | hermana | sœur |
| irmão (o) | der Bruder | brother | hermano | frère |
| isso | das da | that | eso | ça (là) |
| isto | dieses | this | esto | ça (ici) |
| italiano | italienisch, Italiener | Italian | italiano | italien |
| já | schon | now, already | ya | déjà, tout-de-suite |
| janela (a) | das Fenster | window | ventana | fenêtre |
| jantar | zu Abend essen | to have dinner | cenar | dîner |
| jantar (o) | das Abendessen | dinner | cena | dîner |
| jardim (o) | das Garten | garden | jardín | jardin |
| jardineiro (o) | der Gartner | gardener | jardinero | jardinier |
| joelho (o) | das Knie | knee | rodilla | genou |
| jogador (o) | der Spieler | player | jugador | joueur |
| jogar | spielen | to play | jugar | jouer |
| jogo (o) | das Spiel | play, game | juego, partido | jeu, match |
| jornal (o) | die Zeitung | newspaper | periódico | journal |
| jovem | jung | young | joven | jeune |
| junto a | zusammen, bei | nearby, close to | junto a | à côté de |
| juntos | zusammen | together | juntos | ensemble |
| justificar | rechtfertigen, beweisen | to justify | justificar | justifier |

# GLOSSÁRIO

| PORTUGUÊS | DEUTSCH | ENGLISH | ESPAÑOL | FRANÇAIS |
|---|---|---|---|---|
| justo | gerecht, recht | fair, right | justo | juste |
| lá | da, dort | there | allí | là-bas |
| lã (a) | die Wolle | wool | lana | laine |
| lagarto (o) | die Eidechse | lizard | lagarto | lézard |
| lápis (o) | der Bleistift | pencil | lápiz | crayon |
| laranja | die Apfelsine, orange | orange | naranja | orange |
| largo | breit | wide | ancho | large |
| largo (o) | der Platz | plaza | placeta | placette |
| lata (a) | die Blechdose | tin | lata | canette, boîte de conserve |
| lava-loiça (o) | das Spühlbecken | sink | friegaplatos | lave-vaisselle |
| lavandaria (a) | die Reinigung | laundry | lavandería | laverie |
| lavatório (o) | das Waschbecken | wash-bassin | lavabo | lavabo |
| legumes (os) | das Gemüse | vegetables | verduras | légumes |
| leite (o) | die Milch | milk | leche | lait |
| lembrar-se de | sich erinnern | to remember | acordarse de | se rappeler |
| lente de contacto (a) | die Kontaktlinse | lens | lentilla de contacto | lentille de contact |
| lento | langsam | slow | lento | lent |
| ler | lesen | to read | leer | lire |
| letra (a) | der Buchstabe | letter | letra | lettre |
| levantar-se | aufstehen | to get up, to rise | levantarse | se lever |
| levar | mitnehmen | to take | llevar | emporter, emmener |
| liberdade (a) | die Freiheit | freedom | liberdad | liberté |
| limão (o) | die Zitrone | lemon | limón | citron |
| limpar | saubermachen | to clean | limpiar | nettoyer |
| limpeza (a) | die Sauberhaltung, Säuberung | cleaning | limpieza | nettoyage |
| limpo | sauber | clean | limpio | propre |
| lindo | schön | beautiful | bonito | joli |
| língua (a) | die Sprache | language, tongue | lengua, idioma | langue |
| linha (a) | die Linie, Zeile | line, thread | linea, hilo | ligne, fil |
| liso | glatt | smooth, flat | liso (tissu) | lisse, uni |
| lista (a) | die Liste | list | lista | liste |
| livraria (a) | die Buchhandlung | bookshop | librería | librairie |
| livre | frei | free | libre | libre |
| livro (o) | das Buch | book | libro | livre |
| local (o) | der Ort, die Stelle | place, site | local | local, lieu |
| loja (a) | das Geschäft | shop | tienda | magasin |
| longe de | weit | far | lejos de | loin de |
| longo | lang | long | largo | long |
| louro | blond | blond | rubio | blond |
| lua (a) | der Mond | moon | luna | lune |
| lua-de-mel (a) | die Flitterwochen | honeymoon | luna de miel | lune de miel |
| lutador | der Kämpfer | fighter | luchador | lutteur |
| luvas (as) | die Handschuhe | gloves | guantes | gants |

# GLOSSÁRIO

| PORTUGUÊS | DEUTSCH | ENGLISH | ESPAÑOL | FRANÇAIS |
|---|---|---|---|---|
| luxemburguês | Luxemburger | Luxemburger | luxemburgués | luxembour-geois |
| mãe (a) | die Mutter | mother | madre | mère |
| magro | dünn, mager | thin | delgado | maigre, mince |
| mais | mehr, lieber | more | más | plus |
| mala (a) | die Tasche, der Koffer | bag | bolso, maleta | sac, valise |
| mandar | schicken, befehlen | to send | mandar | envoyer |
| manga (a) | der Ärmel | sleeve | manga | manche |
| manteiga (a) | die Butter | butter | mantequilla | beurre |
| manter | halten | to keep | mantener | maintenir, entretenir |
| mão (a) | die Hand | hand | mano | main |
| máquina (a) | die Maschine | machine | máquina | machine |
| máquina de lavar roupa (a) | die Waschmaschine le linge | washing-machine | lavadora | machine à laver |
| máquina fotográfica (a) | der Fotoapparat | camera | máquina fotográfica | appareil photo |
| mar (o) | das Meer | sea | mar | mer |
| marcante | markant | remarkable | marcante | marquant |
| marinho | Meer..., See… | marine, maritime | marino | marin |
| marítimo | See... | marine, maritime | marítimo | maritime |
| mas | aber | but | pero | mais |
| massa (a) | der Teig | dough | pasta | pâte |
| matar | töten | to kill | matar | tuer |
| matemática (a) | die Mathematik | mathematiks | matemáticas | mathématiques |
| mau | schlecht | bad | malo | mauvais, méchant |
| medicamento (o) | die Arznei | medicine | medicina | médicament |
| medicina (a) | die Medizin | medicine | medicina | médecine |
| médico (o) | der Arzt | doctor | médico | médecin |
| médio | durschnittlich | medium | medio | moyen |
| medir | abmessen | to measure | medir | mesurer |
| meias (as) | die Strümpfe | socks | calcetines | chaussettes |
| meigo | zärtlich | sweet, tender | cariñoso | doux, tendre |
| meio (o) | Halb, inmitten, mittel | half | medio | milieu |
| mel (o) | der Honig | honey | miel | miel |
| melhor | besser | better | mejor | meilleur |
| membro (o) | das Mitglied | member | miembro | membre |
| mensagem (a) | die Message | message | mensaje | message |
| mercado (o) | der Markt | market | mercado | marché |
| mergulhar | tauchen | to dive | bucear | plonger |
| mergulho (o) | das Tauchen | dive | buceo | plongée, plongeon |
| mês (o) | der Monat | month | mes | mois |
| mesa (a) | der Tisch | table | mesa | table |
| mesa de cabeceira (a) | der Nachttisch | bedside table | mesilla de noche | table de nuit |
| mesmo | gleich, derselbe | just, same | mismo | même |

# GLOSSÁRIO

| PORTUGUÊS | DEUTSCH | ENGLISH | ESPAÑOL | FRANÇAIS |
|---|---|---|---|---|
| meta (a) | das Ziel | goal, aim | meta | but |
| metro (o) | der Meter | meter | metro | métro |
| meu | mein | my, mine | mi | mon |
| minha | meine | my, mine | mi | ma |
| missa (a) | die Messe, der Gottesdienst | mass | misa | messe |
| misto | gemischt | mixture, mixed | mixto | mixte |
| miúdo (o) | kleiner Junge | boy | niño | petit garçon |
| moda (a) | die Mode | fashion | moda | mode |
| moderação (a) | die Mässigung | moderation | moderación | modération |
| momento (o) | der Moment | moment | momento | moment |
| monarquia (a) | die Monarchie | monarchy | monarquía | monarchie |
| montanha (a) | das Gebirge | mountain | montaña | montagne |
| montar | aufbauen | to mount | montar | monter |
| montra (a) | das Schaufenster | shop-window | escaparate | vitrine |
| monumento (o) | das Denkmal | monument | monumento | monument |
| morada (a) | die Anschrift, Adresse | address | dirección | adresse |
| morar | wohnen | to live | vivir | habiter |
| mosca (a) | die Fliege | fly | mosca | mouche |
| mostrar | zeigen | to show | enseñar | montrer |
| mota (a) | das Motorrad | motorcycle | moto | moto |
| motorista (o) | der Fahrer | driver | conductor | conducteur, chauffeur |
| movimento (o) | die Bewegung | movement | movimiento | mouvement |
| muçulmano | der Muslim | Muslim | musulmán | musulman |
| mudança (a) | die Änderung, der Wechsel | change | cambio, mudanza | changement, déménagement |
| mudar | ändern, wechseln | to change | cambiar, mudarse | changer, déménager |
| muito | viel, sehr | very, much | muy | très |
| muitos | viele | many | muchos | beaucoup |
| mulher (a) | die Frau | woman | mujer | femme |
| mundial | Welt... | worldwide | mundial | mondial |
| muralha (a) | die Mauer | wall | muralla | muraille |
| músculo (o) | der Muskel | muscle | músculo | muscle |
| museu (o) | das Museum | museum | museo | musée |
| música (a) | die Musik | music | música | musique |
| música clássica (a) | klassische Musik | classic music | música clásica | musique classique |
| música popular (a) | Volksmusik | popular music | música popular | musique populaire |
| músico (o) | der Musiker | musician | músico | musicien |
| nacional | national | national | nacional | national |
| nacionalidade (a) | die Nationalität | nationality | nacionalidad | nationalité |
| nada | nichts | nothing | nada | rien |
| nadar | schwimmen | to swim | nadar | nager |
| namorado (o) | der (feste) Freund, Liebhaber | boyfriend | novio | petit-ami |

# GLOSSÁRIO

| PORTUGUÊS | DEUTSCH | ENGLISH | ESPAÑOL | FRANÇAIS |
|---|---|---|---|---|
| namorar | umwerben, mit jemanden gehen, flirten | to court | salir con | sortir avec, avoir une liaison avec quelqu'un |
| não | nein | no | no | non |
| nariz (o) | die Nase | nose | nariz | nez |
| nascer | geboren werden | to be born | nacer | naître |
| nascimento (o) | die Geburt | birth | nacimiento | naissance |
| Natal (o) | Weihnachten | Christmas | Navidad | Noël |
| natural | natürlich | natural | natural | naturel |
| navegar | segeln, fahren | to navigate | navegar | naviguer |
| negócio (o) | das Geschäft | business | negocio | affaire |
| nenhum | kein | no, any, none | ninguno | aucun |
| neto (o) | das Enkelkind | grandchild | nieto | petit-fils |
| neurologista (a/o) | der Nervenarzt | neurologist | neurólogo | neurologue |
| nevar | schneien | to snow | nevar | neiger |
| neve (a) | der Schnee | snow | nieve | neige |
| ninguém | niemand | nobody, no one, anybody, any one | nadie | personne |
| nível (o) | das Niveau | level | nivel | niveau |
| noite (a) | der Abend, die Nacht | night | noche | Nuit |
| nojento | ekelhaft | disgusting, repugnant | asqueroso | dégoûtant |
| nora (a) | die Schwiegertochter | daughter-in-law | nuera | bru |
| normal | normal | normal | normal | normal |
| normalmente | normalerweise | usually | normalmente | normalement |
| norte (o) | der Norden | north | norte | nord |
| notícia (a) | die Nachricht | news | noticia | nouvelle |
| noticiário (o) | die Nachrichten | broadcasted news | noticiario, noticias | informations |
| novamente | wieder | again, once more | de nuevo | à nouveau |
| novo | neu, jung | new, young | nuevo, joven | nouveau, jeune |
| nunca | nie | never | nunca | jamais |
| obediente | gehorsam | obedient | obediente | obéissant |
| objectivo (o) | das Ziel | aim, goal | objetivo | objectif |
| objecto (o) | das Ding, der Gegenstand | thing | objeto | objet |
| oceano (o) | der Ozean | ocean | océano | océan |
| óculos (os) | die Brille | glasses | gafas | lunettes |
| ocupado | beschäftigt | busy | ocupado | occupé |
| ocupar | ausfüllen, beschäftigen | to occupy | ocupar | occuper |
| oficina (a) | die Werkstatt | workshop | taller | garage |
| oftalmologista (a/o) | der Augenarzt | ophtalmologist | oftalmólogo | ophtalmo- logiste |
| olhar | schauen | to look | mirar | regarder |
| olho (o) | das Auge | eye | ojo | œil |
| ombro (o) | die Schulter | shoulder | hombro | épaule |
| onde | wo | where | donde | où |
| ondulado | wellig | wavy | ondulado | ondulé |

# GLOSSÁRIO

| PORTUGUÊS | DEUTSCH | ENGLISH | ESPAÑOL | FRANÇAIS |
|---|---|---|---|---|
| ontem | gestern | yesterday | ayer | hier |
| opinião (a) | die Meinung | opinion | opinión | opinion |
| ordem (a) | der Befehl | order | orden | ordre |
| orelha (a) | das Ohr | ear | oreja | oreille (externe) |
| organizado | organisiert | organized | organizado | organisé |
| organizar | organisieren | to organize | organizar | organiser |
| orientar-se | sich zurechtfinden | to orientate | orientarse | s'orienter |
| origem (a) | der Ursprung | origin | origen | origine |
| orquestra (a) | das Orchester | orchestra | orquesta | orchestre |
| ortopedista (a/o) | der Orthopäde | orthopaedist | ortopedista | orthopédiste |
| osso (o) | der Knochen | bone | hueso | os |
| otorrinolaringo--logista (a/o) | Facharzt für Hals-, Nasen- und Ohren--krankheiten | otorhinolaryn-gologist | otorrino-laringólogo | oto-rhino-laryngologiste |
| outra vez | ein andermal, noch einmal | again, one more time | otra vez | encore, une autre fois |
| outro | andere | other, another | otro | autre |
| ouvido (o) | das Gehör | ear | oído | oreille (interne), ouïe |
| ouvir | hören | to hear | oír | entendre |
| ovo (o) | das Ei | egg | huevo | œuf |
| paciência (a) | die Geduld | patience | paciencia | patience |
| paciente | geduldig | patient | paciente | patient |
| padeiro (o) | der Bäcker | baker | panadero | boulanger |
| padre (o) | der Priester | priest, father | cura | curé |
| pagar | (be)zahlen | to pay | pagar | payer |
| pai (o) | der Vater | father | padre | père |
| pais (os) | die Eltern | parents | padres | parents |
| país (o) | das Land | country | país | pays |
| paisagem (a) | die Landschaft | landscape | paisaje | paysage |
| palhaço (o) | der Clown | clown | payaso | clown |
| pão (o) | das Brot | bread | pan | pain |
| paragem (a) | die Haltestelle | stop | parada | arrêt |
| paragem de autocarros (a) | Bus-Haltestelle | bus stop | parada de autobús | arrêt d'autobus |
| paraíso (o) | das Paradies | paradise | paraíso | paradis |
| parar | anhalten, halten | to stop | parar | (s') arrêter |
| parecer | scheinen | to seem | parecer | paraître |
| parede (a) | die Wand | wall | pared | mur |
| parque (o) | der Park | park | parque | parc |
| parque infantil (o) | der Spielplatz | playground | parque infantil | parc pour enfants |
| parte (a) | der Teil | part | parte | part / partie |
| partida (a) | der Start, die Abfahrt | starting, departure | partida, broma | départ, blague, partie |
| partilhar | (ver)teilen | to share | compartir | partager |
| partir | abfahren, schneiden, brechen | to leave, to go, to break | partir | partir, casser |

# GLOSSÁRIO

| PORTUGUÊS | DEUTSCH | ENGLISH | ESPAÑOL | FRANÇAIS |
|---|---|---|---|---|
| passadeira (a) | der Zebrastreifen | zebracrossing | paso de peatones | passage piétons |
| passagem (a) | der Durchgang | passage | pasaje | passage |
| passaporte (o) | der Reisepass | passport | pasaporte | passeport |
| passar | verbringen, vergehen, durchqueren | to spend, to pass, to go through | pasar | passer |
| pássaro (o) | der Vogel | bird | pájaro | oiseau |
| passar-se | sich ereignen | to happen | acontecer | se passer |
| passatempo (o) | der Zeitvertreib | pastime | pasatiempo | passe-temps |
| passear | spazieren | to walk | pasear | se promener |
| passeio (o) | der Bürgersteig, Spaziergang, -fahrt | side-walk, walk | paseo, acera | promenade, trottoir |
| pasta (a) | die Mappe | briefcase, school bag | carpeta | pochette |
| pastelaria (a) | die Konditorei | cake shop | pastelería | pâtisserie |
| pastilha (a) | die Pastille, Tablette | pastille | pastilla | pastille |
| pé (o) | der Fuss | foot | pie | pied |
| pediatra (a/o) | der Kinderarzt | paediatrist | pediatra | pédiatre |
| pedir | bitten | to ask for | pedir | demander, commander |
| pedra (a) | der Stein | stone | piedra | pierre |
| pegar | halten, nehmen | to hold, to catch | coger | prendre |
| peito (o) | die Brust | breast, chest | pecho | poitrine |
| peixe (o) | der Fisch | fish | pez, pescado | poisson |
| pele (a) | die Haut | skin | piel | peau |
| pêlo (o) | das Haar | hair | vello | poil |
| peludo | haarig | hairy | peludo | poilu |
| pendurado | hängend | hanged | colgado | pendu, accroché |
| pensar (em) | denken (an) | to think about | pensar | penser |
| pequeno | klein | small | pequeño | petit |
| pequeno-almoço (o) | das Früstück | breakfast | desayuno | petit-déjeuner |
| perceber | verstehen | to understand | entender | comprendre |
| percentagem (a) | der Prozentsatz | percentage | porcentaje | pourcentage |
| perder-se | sich verlaufen | to get lost | perderse | se perdre |
| perfeitamente | ganz recht | perfectly | perfectamente | parfaitement |
| perfeito | vollkommen, genau | perfect | perfecto | parfait |
| pergunta (a) | die Frage | question | pregunta | question |
| perigo (o) | die Gefahr | danger | peligro | danger |
| perigoso | gefährlich | dangerous | peligroso | dangereux |
| periódico | periodisch, regelmässig | periodic | periódico | périodique |
| permanente | ständig, dauernd | permanent | permanente | permanent |
| perna (a) | das Bein | leg | pierna | jambe |
| personalidade (a) | die Persönlichkeit | personality | personalidad | personalité |
| persuasão (a) | die Überredung | persuasion | persuasión | persuasion |
| pertencer (a) | j-m gehören | to belong to | pertenecer | appartenir |
| peru (o) | der Puter, Truthahn | turkey | pavo | dinde |
| pesar | wiegen | to weigh | pesar | peser |

# GLOSSÁRIO

| PORTUGUÊS | DEUTSCH | ENGLISH | ESPAÑOL | FRANÇAIS |
|---|---|---|---|---|
| pescador (o) | der Fischer | fisherman | pescador | pêcheur |
| pescar | fischen | to fish | pescar | pêcher |
| pescoço (o) | der Hals | neck | cuello | cou |
| peso (o) | das Gewicht | weight | peso | poids |
| pessoa (a) | die Person | person | persona | personne |
| piano (o) | das Klavier | piano | piano | piano |
| pijama (o) | der Schlafanzug | pyjamas | pijama | pyjama |
| pintar | malen | to paint | pintar | peindre |
| pintor (o) | der Maler | painter | pintor | peintre |
| pintura (a) | die Malerei | painting | pintura | peinture |
| piscina (a) | das Schwimmbad | swimming-pool | piscina | piscine |
| pista (a) | das Rollfeld | runway | pista | piste |
| plano (o) | der Plan | plan | plano | plan |
| planta (a) | die Pflanze, Stadtplan | plant, plan | planta, plano (de una ciudad) | plante, plan (d'une ville) |
| pó (o) | der Staub, das Pulver | dust, powder | polvo | poussière |
| poder | können, dürfen | to be able, can | poder | pouvoir |
| polémica | polemisch | polemic | polémica | polémique |
| polícia (o) | der Polizist | policeman | policía | policier |
| ponto (o) | der Punkt | point | punto | point |
| pôr | setzen, stellen, legen | to put, to put on, to lay | poner | mettre |
| porque | weil, denn | because | porque | parce que |
| porta (a) | die Tür | door | puerta | porte |
| porteiro (o) | der Portier, Pförtner | porter | portero | concierge |
| português | portugiesisch, Portugiese | Portuguese | portugués | portugais |
| posição (a) | die Lage, die Stellung, Position | position, situation | posición | position |
| possibilidade (a) | die Möglichkeit | possibility | posibilidad | possibilité |
| possivelmente | möglicherweise | possibly, perhaps | posiblemente | possiblement |
| postal (o) | die Ansichtskarte | postcard | postal | carte postale |
| posto de turismo (o) | das Verkehrsbüro | travel bureau | oficina de turismo | office du tourisme |
| pouco | wenig | few, little | poco | peu |
| poupado | sparsam | economical | ahorrado, ahorrador | économisé, économe |
| poupar | sparen | to save | ahorrar | économiser |
| praça (a) | der Markt, der Platz | square, market | plaza | place |
| praia (a) | der Strand | beach | playa | plage |
| prateleira (a) | das Regal | shelf | estante | étagère |
| praticar | treiben, praktizieren | to practise | practicar | pratiquer |
| prato (o) | der Teller, das Gericht | plate, dish | plato | plat, assiette |
| precisar de | brauchen, müssen | to need | necesitar | avoir besoin |
| preço (o) | der Preis | price | precio | prix |
| prédio (o) | das Gebäude | building | edificio | immeuble |
| preencher | ausfüllen | to fill in | rellenar | remplir |
| preferência (a) | die Vorliebe | preference | preferencia | préférence |

# GLOSSÁRIO

| PORTUGUÊS | DEUTSCH | ENGLISH | ESPAÑOL | FRANÇAIS |
|---|---|---|---|---|
| preferido | Lieblings... | favourite | preferido | préféré |
| preferir | vorziehen | to prefer | preferir | prérérer |
| prémio (o) | der Preis | prize | premio | prix (récompense) |
| preparar | vorbereiten | to prepare | preparar | préparer |
| presente (o) | das Geschenk | present, gift | presente, regalo | présent, cadeau |
| primo (o) | der Cousin | cousin | primo | cousin |
| principalmente | hauptsächlich | mainly | principalmente | principalement |
| privado | privat, persönlich | private, personal | privado | privé |
| procurar | suchen | to look for, to search | buscar | chercher |
| professora (a) | die Lehrerin | teacher | profesora | professeur |
| profissão (a) | der Beruf | profession | profesión | profession |
| profissional | beruflich | professional | profesional | professionnel |
| proibido | verboten | forbidden | prohibido | interdit |
| pronto | fertig | ready, right | listo | prêt |
| próprio | selbst | speaking (phone call) | propio | propre |
| proteger | (be)schützen | to protect | proteger | protéger |
| provar | probieren | to taste | probar | goûter, prouver |
| próximo | nächste(r) | next | próximo | prochain |
| publicidade (a) | die Werbung | publicity | publicidad | publicité |
| público (o) | das Publikum | public, audience | público | public |
| pulseira (a) | das Armband | bracelet | pulsera | bracelet |
| puro | rein | pure | puro | pur |
| quadro (o) | das Bild, die Tafel | picture, blackboard, painting | cuadro, pizarra | tableau |
| qual | welche(r) | which | cual | quel(le) |
| qualquer | irgendein | any, anybody | cualquier | n'importe quel(le) |
| quarto (o) | das Zimmer | room | habitación, cuarto | chambre, quart |
| quase | fast | almost | casi | presque |
| queijo (o) | der Käse | cheese | queso | fromage |
| quem | wer | who, whom | quien | qui |
| quente | heiss | hot | caliente | chaud |
| querer | wollen | to want, to wish | querer | vouloir |
| querido | liebe(r) | dear | querido | cher |
| questão (a) | die Frage | question | cuestión | question |
| quilo (o) | das Kilogramm | kilogram | kilo | kilo |
| quinta (a) | das LandGut | farm | finca | ferme |
| radical | radikal | radical | radical | radical |
| ramo (de flores) (o) | Blumen-Strauss | bunch of flowers | ramo (de flores) | bouquet (de fleurs) |
| rápido | schnell | quick | rápido | rapide |

# GLOSSÁRIO

| PORTUGUÊS | DEUTSCH | ENGLISH | ESPAÑOL | FRANÇAIS |
|---|---|---|---|---|
| raro | selten | rare | raro | rare |
| rato (o) | die Maus | mouse | ratón | souris |
| razoável | vernünftig | reasonable | razonable | raisonnable |
| reagir | reagieren | to react | reaccionar | réagir |
| realizar | durchführen | to carry out | realizar | réaliser |
| receber | bekommen, empfangen | to receive | recibir | recevoir |
| recepção (a) | das Empfangs-Büro | reception | recepción | réception |
| recepcionista (a) | die Empfangsdame | recepcionist | recepcionista | réceptioniste |
| redacção (a) | die Redaktion | editorial office | redacción | rédaction |
| refeição (a) | die Mahlzeit | meal | comida | repas |
| referir | berichten, erwähnen | to refer | referir | faire référence |
| região (a) | die Gegend, das Gebiet | region | región | région |
| registado | eingetragen | registered | registrado | recommandé |
| registo (o) | die Eintragung | register | registro | enregistrement, registre |
| regressar | zurückkehren | to return, to come back | volver | revenir |
| relacionar | berichten, beschreiben, in Verbindung setzen | to relate, to report | relacionar | mettre en relation |
| relatório (o) | der Bericht | report | informe | rapport |
| relevante | wichtig, bedeutend | relevant | sobresaliente | remarquable |
| repelente | abstossend | repellent | repelente | répugnant |
| repetir | wiederholen | to repeat | repetir | répéter |
| reportagem (a) | die Reportage | report, reporting | reportaje | reportaje |
| reservado | zurückhaltend, reserviert | shy, reserved | reservado | réservé |
| reservar | belegen, reservieren | to reserve | reservar | réserver |
| respeitar | Rücksicht nehmen auf | to respect | respetar | respecter |
| respirar | atmen | to breathe | respirar | respirer |
| responder | antworten | to answer | contestar | répondre |
| responsável | verantwortlich | responsible | responsable | responsable |
| resposta (a) | die Antwort | answer | respuesta | réponse |
| restaurante (o) | das Restaurant | restaurant | restaurante | restaurant |
| resto (o) | der Rest | rest | resto | reste |
| resultado (o) | das Ergebnis | result | resultado | résultat |
| reunião (a) | die Besprechung | meeting | reunión | réunion |
| reunir | zusammenbringen, (ver)sammeln | to bring together, to meet | reunir | réunir |
| revelar | offenbaren, entwickeln | to reveal, to develop | revelar | révéler |
| rever | wiedersehen | to see again | rever | revoir |
| revista (a) | die Zeitschrift | magazine | revista | revue |
| rio (o) | der Fluss | river | río | fleuve, rivière |
| risca (a) | der Streifen | line, stripe | raya | raie, rayure |
| robe (o) | der Bademantel | dressing gown | bata, albornoz | robe de chambre |
| roda (a) | das Rad | wheel | rueda | roue |

# GLOSSÁRIO

| PORTUGUÊS | DEUTSCH | ENGLISH | ESPAÑOL | FRANÇAIS |
|---|---|---|---|---|
| rodeado | umgeben von | surrounded | rodeado | entouré |
| roedor | das Nagetier | rodent | roedor | rongeur |
| romano | römisch | Roman | romano | romain |
| roto | zerlumpt | torn, shabby | desgarrado | déchiré |
| roupa (a) | die Kleidung | clothes | ropa | linge |
| roupeiro (o) | der Kleiderschrank | wardrobe | guardarropa | penderie, armoire |
| rua (a) | die Strasse | street | calle | rue |
| ruínas (as) | die Ruinen | ruins | ruinas | ruines |
| ruivo | rothaarig | redish, red-haired | pelirrojo | roux |
| russo | russisch, Russe | Russian | ruso | russe |
| saber | wissen, können | to know | saber | savoir |
| saco (o) | die Tüte, der Sack | bag, sack | bolsa | sac |
| sádico | sadistisch | sadist | sádico | sadique |
| saia (a) | der Rock | skirt | falda | jupe |
| sair | weg-,ausgehen, herauskommen | to go out | salir | sortir |
| sala (a) | das Wohnzimmer, der Saal | living-room | salón | salle |
| salada (a) | der Salat | salad | ensalada | salade |
| salário (o) | der Lohn | wage, salary | salario | salaire |
| sandálias (as) | die Sandalen | sandals | sandalias | sandales |
| sandes (a) | belegte(s) Brot | sandwich | bocadillo | sandwich |
| sangue (o) | das Blut | blood | sangre | sang |
| sanita (a) | der kloschüssel | w.c. | taza del water | cuvette des wc |
| sapataria (a) | das Schuhgeschäft | shoeshop | zapatería | magasin de chaussures |
| sapato (o) | der Schuh | shoe | zapato | chaussure |
| saudável | gesund | healthy | saludable | sain |
| Sé (a) | die Kathedrale | cathedral | Catedral | Cathédrale |
| se calhar | vielleicht | perhaps | a lo mejor | peut-être |
| secção (a) | die Abteilung | department (shop/store) | sección | rayon |
| secretária (a) | die Sekretärin, der Schreibtisch | secretary, desk | secretaria | secrétaire |
| seguinte | folgende(r) | next, following | siguiente | suivant |
| seguir | folgen | to follow | seguir | suivre |
| seguradora (a) | Die Versicherungs-t Gesellschaf | insurance company | compañia de seguros | compagnie d'assurances |
| segurança (a) | die Sicherheit | security | seguridad | sécurité |
| seleccionar | auswählen | to select | seleccionar | sélectionner |
| selo (o) | die Briefmarke | stamp | sello | timbre |
| selvagem | wild | wild | salvaje | sauvage |
| sem | ohne | without | sin | sans |
| semáforo (o) | die Verkehrsampel | traffic lights | semáforo | feu de signalisation |
| semana (a) | die Woche | week | semana | semaine |

# GLOSSÁRIO

| PORTUGUÊS | DEUTSCH | ENGLISH | ESPAÑOL | FRANÇAIS |
|---|---|---|---|---|
| semanário (o) | die Wochenzeitung | weekly publication | semanario | hebdomadaire |
| semelhante | ähnlich | similar | semejante | semblable |
| sempre | immer | always | siempre | toujours |
| senhor (o) | der Herr, Sie (Anrede) | you, mister (Mr.) | señor | monsieur |
| senhora (a) | die Frau, Sie, die Dame | you, madam (Mrs.) | señora | dame, madame |
| sensação (a) | das Gefühl | sentation, feeling | sensación | sensation |
| sensível | empfindlich | sensible | sensible | sensible |
| sentar-se | sich setzen | to sit down | sentarse | s'asseoir |
| sentir | empfinden, spüren | to feel | sentir | sentir |
| sentir-se | sich fühlen | to feel | sentirse | se sentir |
| ser | sein | to be | ser | être |
| sério | ernst | serious | serio | sérieux |
| serra (a) | das Gebirge | mountains | sierra | montagne |
| serviço (o) | der (die) Dienst (Servicestelle) | service, work | servicio | service |
| servir | dienen, passen | to serve | servir | servir |
| sexo (o) | das Geschlecht | sex | sexo | sexe |
| simpático | nett, sympathisch | nice, kind, friendly | simpático | sympathique |
| sinceramente | ehrlich | sincerely | sinceramente | sincèrement |
| sintoma (o) | das Symptom | symptom | síntoma | symptôme |
| sistema nervoso (o) | Nervensystem | nervous system | sistema nervioso | système nerveux |
| só | allein, nur | only, alone | sólo | seulement |
| sobrancelha (a) | die Augenbraue | eyebrow | ceja | sourcil |
| sobremesa (a) | der Nachtisch | dessert | postre | dessert |
| sobrinho (o) | der Neffe | nephew | sobrino | neveu |
| social | sozial, gesellschaftlich | social | social | social |
| sociável | gesellig | sociable | sociable | sociable |
| sociedade (a) | die Gesellschaft | society | sociedad | société |
| sofá (o) | das Sofa | sofa | sofá | canapé |
| sofrer | leiden | to suffer | sufrir | souffrir |
| sogro (o) | der Schwiegervater | father-in-law | suegro | beau-père |
| sol (o) | die Sonne | sun | sol | soleil |
| solteiro | ledig | single | soltero | célibataire |
| soma (a) | die Summe | sum | suma | somme |
| sopa (a) | die Suppe | soup | sopa | soupe |
| sossego (o) | die Ruhe | quietness, calm | sosiego | tranquilité |
| sozinho | allein | alone | solo | seul |
| subir | steigen, hinaufgehen | to go up | subir | monter |
| substituir | ersetzen | to replace | sustituir | remplacer |
| sujo | schmutzig | dirty | sucio | sale |
| sumo de laranja (o) | der Orangensaft | orange juice | zumo de naranja | jus d'orange |
| supermercado (o) | der Supermarkt | supermarket | supermercado | supermarché |
| surpresa (a) | die Überraschung | surprise | sorpresa | surprise |
| talher (o) | das Besteck | cover | cubierto | couvert |

# GLOSSÁRIO

| PORTUGUÊS | DEUTSCH | ENGLISH | ESPAÑOL | FRANÇAIS |
|---|---|---|---|---|
| talvez | vielleicht | perhaps | talvez | peut-être |
| tamanho (o) | die Grösse | size | tamaño | taille |
| também | auch | also, too | también | aussi |
| tanto | so sehr | so much | tanto | tant, autant |
| tão | so+adj., so sehr | so, as | tanto | tant, si |
| tarde | spät | late | tarde | tard |
| tarde (a) | der Nachmittag, Abend, nachmittags, abends | afternoon | tarde | après-midi |
| tartaruga (a) | die Schildkröte | turtle | tortuga | tortue |
| taxa (a) | die Gebuhr, Rate | rate | taxa | taxe |
| taxista (o) | der Taxifahrer | taxi driver | taxista | chauffeur de taxi |
| teatro (o) | das Theater | theatre | teatro | théâtre |
| tecido (o) | der Stoff | cloth | tejido | tissu |
| teimoso | eigensinnig, stur | stubborn | testarudo | têtu |
| telefonar | anrufen | to call, to telephone | telefonear | téléphoner |
| telefonema (o) | der Anruf | call | llamada telefónica | appel téléphonique |
| telegrama (o) | das Telegramm | telegram | telegrama | télégramme |
| telemóvel (o) | Handy | mobile | móbil (teléfono) | portable (téléphone) |
| televisão (a) | das Fernsehen | television | televisión | télévision |
| tema (o) | das Thema | matter, subject | tema | thème |
| temperatura (a) | die Temperatur | temperature | temperatura | température |
| templo (o) | der Tempel | temple | templo | temple |
| tempo (o) | das Wetter, die Zeit | weather, time | tiempo | temps |
| tenda (a) | das Zelt | tent | tienda de campaña | tente |
| ténis (o) | Tennis | tennis | tenis | tennis |
| ténis (os) | die Turnschuhe | tennis shoes | zapatillas de deporte | tennis, les baskets |
| tensão arterial (a) | der Blutdruck | blood pressure | tensión arterial | tension artérielle |
| ter | haben | to have | tener | avoir |
| ter de | müssen | to have to | tener que | devoir |
| ter um bebé | ein Kind kriegen | to have a baby | tener un bebé | avoir un bébé |
| terminar | enden, aufhören | to finish, to stop | terminar | terminer |
| testar | (nach)prüfen, testen | to verify, to test | someter a una prueba | tester |
| teste (o) | der Test | test | test, prueba | test |
| tigela (a) | die Schüssel | bowl | tazón | bol |
| tigre (o) | der Tiger | tiger | tigre | tigre |
| tímido | schüchtern | shy | tímido | timide |
| tio (o) | der Onkel | uncle | tío | oncle |
| tipicamente | typisch | typically | tipicamente | typiquement |
| típico | typisch | typical | típico | typique |
| tipo (o) | der Typ, die Art | type, kind | tipo | type |

# GLOSSÁRIO

| PORTUGUÊS | DEUTSCH | ENGLISH | ESPAÑOL | FRANÇAIS |
|---|---|---|---|---|
| toalha (a) | das Handtuch | towel | toalla | serviette |
| tocar | berühren | to touch | tocar | toucher, jouer (instrument) |
| todo | ganz | whole | todo | tout |
| todos | alle | all | todos | tous |
| toldo (o) | das Sonnendach | sunblind | toldo | bâche |
| tomar | nehmen | to take, to have meals | tomar | prendre |
| torrada (a) | Toast mit Butter | toast | tostada | tartine |
| tosse (a) | der Husten | cough | tos | toux |
| totalmente | total, völlig | completely | totalmente | totalement |
| tourada (a) | der Stierkampf | bullfight | corrida | corida |
| toureiro (o) | der Stier-kämpfer | bullfighter | torero | torero |
| touro (o) | der Stier | bull | toro | taureau |
| trabalhador | fleissig | worker | trabajador | travailleur |
| trabalhar | arbeiten | to work | trabajar | travailler |
| trabalho (o) | die Arbeit | work | trabajo | travail |
| traçar | zeichnen | to trace | trazar | tracer |
| tradição (a) | die Tradition | tradition | tradición | tradition |
| tradicional | traditionell | traditional | tradicional | traditionnel |
| tranquilo | ruhig | calm, still | tranquilo | tranquille |
| transparente | durchsichtig | transparent | transparente | transparent |
| transporte (o) | der Transport | transportation | transporte | transport |
| tratar | behandeln, pflegen | to treat, to handle, take care | tratar | s'occuper, traiter, soigner |
| trazer | (her) bringen, mitbringen | to bring | traer | apporter, amener |
| treinar | trainieren (Sport) | to train | entrenar descambiar | s'entraîner changer |
| trocar | (aus) tauschen, wechseln | to exchange, to change | cambiar | échanger |
| tudo | alles | everything | todo | tout |
| último | letzte(r) | last | último | dernier |
| unha (a) | der Nagel | nail | uña | ongle |
| único | einzig | unique, only | único | seul, unique |
| Universidade (a) | die Universität | University | universidad | université |
| uns | einige | some | unos | les uns |
| uns aos outros | gegenseitig | each other | los unos a los otros | les uns aux autres |
| usar | benutzen, nutzen | to use | usar | utiliser |
| útil | nützlich | useful | útil | utile |
| utilidade (a) | die Nützlichkeit | usefulness | utilidad | utilité |
| utilizador (o) | der Benutzer | user | utilizador | utilisateur |
| utilizar | benutzen | to use | utilizar | utiliser |
| vaca (a) | die Kuh | cow | vaca | vache |
| vantagem (a) | der Vorteil | advantage | ventaja | avantage |
| varanda (a) | der Balkon | balcony | balcón | balcon |

# GLOSSÁRIO

| PORTUGUÊS | DEUTSCH | ENGLISH | ESPAÑOL | FRANÇAIS |
|---|---|---|---|---|
| vários | verschiedene | several | varios | plusieurs |
| vazio | leer | empty | vacío | vide |
| velho | alt | old | viejo | vieux |
| vender | verkaufen | to sell | vender | vendre |
| vento (o) | der Wind | wind | viento | vent |
| ver | sehen | to see | ver | voir |
| vestido (o) | das Kleid | dress | vestido | robe |
| vestir (-se) | (sich) anziehen | to get dressed | vestirse | s'habiller |
| vez (a) | das Mal | turn | vez | fois, tour |
| viagem (a) | die Reise | journey, trip | viaje | voyage |
| viajar | reisen | to travel | viajar | voyager |
| vila (a) | die Kleinstadt | village, town | pequeña ciudad | petite ville |
| vindima (a) | die Weinlese | grape-gathering | vendimia | vendange |
| vinho (o) | der Wein | wine | vino | vin |
| vir | kommen | to come | venir | venir |
| virar | abbiegen, sich wenden | to turn | girar | tourner |
| visitar | besuchen | to visit | visitar | visiter |
| viver | leben | to live | vivir | vivre |
| vizinho (o) | der Nachbar | neighbour | vecino | voisin |
| você | Sie, Du | you | usted | vous |
| voltar | zurückkommen, abbiegen | to return | volver | revenir, rentrer |
| voz (a) | die Stimme | voice | voz | voix |
| zangado | böse | angry | enfadado | fâché |
| zebra (a) | das Zebra | zebra | zebra | zèbre |
| zona (a) | die Gegend, Zone | area, place | zona | zone |

# EXPRESSÕES

| PORTUGUÊS | DEUTSCH | ENGLISH | ESPAÑOL | FRANÇAIS |
|---|---|---|---|---|
| à direita | rechts | on the right | a la derecha | à droite |
| à esquerda | links | on the left | a la izquierda | à gauche |
| a favor | zugunsten | on behalf of | en pro de | en faveur |
| à noite | abends, nachts | at night, in the evening | por la noche | le soir, la nuit |
| a pé | zu Fuss (gehen) | on foot, to walk | a pie | à pied |
| a sério | ernst | seriously | en serio | sérieusement |
| à tarde | nachmittags | in the afternoon | por la tarde | l'après-midi |
| além disso | ausserdem | besides (that) | además | en plus |
| antes de | bevor | before | antes de | avant |
| ao lado de | neben | next to | al lado de | à côté de |
| ao longo de | längs (gen.), entlang | along | a lo largo de | au long de |
| às vezes | manchmal | sometimes | a veces | quelquefois |
| atender o telefone | abnehmen (Telefon) | answer the phone | coger el teléfono | répondre au téléphone |
| atrás de | hinter | behind | detrás de | derrière |
| dar os parabéns | gratulieren | to congratulate | felicitar | féliciter, souhaiter bon anniversaire |
| dar um passeio | spazieren gehen | to go for a walk | dar una vuelta | faire un tour |
| de facto | tatsächlich | in fact, indeed, really, actually | de hecho | en fait |
| de manhã | morgens | in the morning | por la mañana | le matin |
| de onde | woher, woraus | where from | de donde | d'où |
| debaixo de | unter | under | debajo de | sous |
| depois de | nach | after | después de | après |
| o dia a dia | der Alltag | daily | el día a día | le quotidien |
| em cima de | auf | on | encima de | sur |
| em frente de | gegenüber | ahead, in front of | en frente de | en face de |
| fazer anos | Geburtstag haben | to have birthday | cumplir años | faire son anniversaire |
| fazer compras | einkaufen | to go shopping | hacer compras | faire des courses |
| fazer parte de | gehören zu | to belong to | hacer parte de | faire partie de |
| fazer um favor | einen Gefallen tun | to do a favour | hacer un favor | rendre un service |
| ir às compras | einkaufen gehen | to go shopping | ir de compras | aller en courses |
| ir ter com | sich treffen mit | to meet someone | juntarse con | retrouver |
| levantar a mesa | die Tafel aufheben, den Tish abräumen | to clear the table | quitar la mesa | débarrasser la table |
| o livro aos quadradinhos | Comic | comic strips | historieta | bande dessinée |
| pedir emprestado | leihen von, ausleihen | to borrow | pedir prestado | emprunter |
| pelo contrário | im Gegenteil | on the contrary | al contrario | au contraire |
| a pensão completa | Vollpension | all meals included | la pensión completa | la pension complète |
| pôr a mesa | den Tisch decken | to lay the table | poner la mesa | mettre la table |

243

# EXPRESSÕES

| PORTUGUÊS | DEUTSCH | ENGLISH | ESPAÑOL | FRANÇAIS |
|---|---|---|---|---|
| por acaso | zufällig | by chance | por casualidad | par hasard |
| por exemplo | zum Beispiel | for instance | por ejemplo | par exemple |
| por isso | deswegen | for that reason | por eso | c'est pour ça que |
| por volta de | ungefähr, etwa | around | hacia | vers |
| ter cuidado | aufpassen | to be careful | tener cuidado | faire attention |
| ter saudades de | vermissen | to miss | echar de menos | avoir la nostalgie de |
| tomar o pequeno-almoço | Frühstück nehmen | to have breakfast | desayunar | prendre le petit-déjeuner |

# VERBOS
## PRESENTE DO INDICATIVO/PRETÉRITO PERFEITO SIMPLES

| | | | Eu | Tu | Você Ele/ELa o Sr. /a Sra. | Nós | Vocês Eles/ELas os Srs. /as Sras. |
|---|---|---|---|---|---|---|---|
| **VERBOS REGULARES** | FalAR | P.I. | FalO | as | a | amos | am |
| | BebER | | BebO | es | e | emos | em |
| | AbrIR | | AbrO | es | e | imos | em |
| | AR | P.P.S. | ei | aste | ou | ámos | aram |
| | ER | | i | este | eu | emos | eram |
| | IR | | i | iste | iu | imos | iram |
| **DAR** | | P.I. | dou | dás | dá | damos | dão |
| | | P.P.S. | dei | deste | deu | demos | deram |
| **ESTAR** | | P.I. | estou | estás | está | estamos | estão |
| | | P.P.S. | estive | estiveste | esteve | estivemos | estiveram |
| **DIZER** | | P.I. | digo | dizes | diz | dizemos | dizem |
| | | P.P.S. | disse | disseste | disse | dissemos | disseram |
| **FAZER** | | P.I. | faço | fazes | faz | fazemos | fazem |
| | | P.P.S | fiz | fizeste | fez | fizemos | fizeram |
| **TRAZER** | | P.I. | trago | trazes | traz | trazemos | trazem |
| | | P.P.S. | trouxe | trouxeste | trouxe | trouxemos | trouxeram |
| **HAVER** | | P.I. | | | há | | |
| | | P.P.S. | | | houve | | |
| **LER** | | P.I. | leio | lês | lê | lemos | lêem |
| | | P.P.S. | | | REGULAR | | |
| **VER** | | P.I. | vejo | vês | vê | vemos | vêem |
| | | P.P.S. | vi | viste | viu | vimos | viram |
| **PERDER** | | P.I. | perco | perdes | perde | perdemos | perdem |
| | | P.P.S. | | | REGULAR | | |
| **PODER** | | P.I. | posso | podes | pode | podemos | podem |
| | | P.P.S. | pude | pudeste | pôde | pudemos | puderam |
| **QUERER** | | P.I. | quero | queres | quer | queremos | querem |
| | | P.P.S. | quis | quiseste | quis | quisemos | quiseram |
| **SABER** | | P.I. | sei | sabes | sabe | sabemos | sabem |
| | | P.P.S. | soube | soubeste | soube | soubemos | souberam |
| **SER** | | P.I. | sou | és | é | somos | são |
| | | P.P.S. | fui | foste | foi | fomos | foram |
| **TER** | | P.I. | tenho | tens | tem | temos | têm |
| | | P.P.S. | tive | tiveste | teve | tivemos | tiveram |
| **VIR** | | P.I. | venho | vens | vem | vimos | vêm |
| | | P.P.S. | vim | vieste | veio | viemos | vieram |
| **DORMIR** | | P.I. | durmo | dormes | dorme | dormimos | dormem |
| | | P.P.S. | | | REGULAR | | |
| **IR** | | P.I. | vou | vais | vai | vamos | vão |
| | | P.P.S. | fui | foste | foi | fomos | foram |
| **OUVIR** | | P.I. | ouço | ouves | ouve | ouvimos | ouvem |
| | | P.P.S. | | | REGULAR | | |
| **PEDIR** | | P.I. | peço | pedes | pede | pedimos | pedem |
| | | P.P.S. | | | REGULAR | | |
| **SAIR** | | P.I. | saio | sais | sai | saímos | saem |
| | | P.P.S. | saí | saíste | saiu | saímos | saíram |
| **SERVIR** | | P.I. | sirvo | serves | serve | servimos | servem |
| | | P.P.S. | | | REGULAR | | |
| **SUBIR** | | P.I. | subo | sobes | sobe | subimos | sobem |
| | | P.P.S. | subi | subiste | subiu | subimos | subiram |
| **PÔR** | | P.I. | ponho | pões | põe | pomos | põem |
| | | P.P.S. | pus | puseste | pôs | pusemos | puseram |
| **HAVER DE\*** | AUX. | | hei-de | hás-de | há-de | havemos de | hão-de |

\*Exemplo:  HAVER DE + INFINITIVO  "Eu hei-de ser médico"
IR + INFINITIVO  "Eu vou ser médico"

# VERBOS
PRETÉRITO IMPERFEITO

| | | Eu | Tu | Você Ele/ELa o Sr. /a Sra. | Nós | Vocês Eles/ELas os Srs. /as Sras. |
|---|---|---|---|---|---|---|
| VERBOS REGULARES | AR | ava | avas | ava | ávamos | avam |
| | ER | ia | ias | ia | íamos | iam |
| | IR | ia | ias | ia | íamos | iam |
| SER | Imp. | era | eras | era | éramos | eram |
| TER | Imp. | tinha | tinhas | tinha | tínhamos | tinham |
| VIR | Imp. | vinha | vinhas | vinha | vínhamos | vinham |
| PÔR | Imp. | punha | punhas | punha | púnhamos | punham |

# AGRADECIMENTOS

- *Filipe Ribeiro, pela disponibilidade, incentivo e apoio que sempre deu ao longo da elaboração deste trabalho*
- *Drª Helena Bárbara Marques Dias, pelo apoio dado na elaboração deste trabalho*
- *União Lisboa, pela autorização de reprodução da fotografia do Grupo Madredeus*
- *Oceanário, pelas fotografias que gentilmente dispensaram*
- *Guia Turístico do Norte, pelo mapa da cidade de Évora*
- *Clip Arte Design, Comunicação e Imagem, pelo mapa da cidade de Lisboa*
- *Metropolitano de Lisboa, pelo mapa da linha de metro*